누적 1억 명이
선택한 비상교재

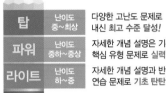

중학 수학 수준별 학습서

개념＋유형

탑	난이도 중~최상	다양한 고난도 문제로 내신 최고 수준 달성!
파워	난이도 중하~중상	자세한 개념 설명은 기본, 핵심 유형 문제로 실력 향상!
라이트	난이도 하~중	자세한 개념 설명과 반복적인 연습 문제로 기초 탄탄!

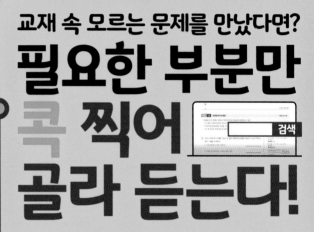

교재 속 오르는 문제를 만났다면?

필요한 부분만 콕 찍어 골라 듣는다!

검색

교재 속 핵심 키워드로 콕
소인수분해 개념을 모르겠어요~

교재 속 페이지 번호로 콕
23p 3번 문제가 궁금해요~

비상교재 구매자 혜택

혜택 1

콕 강의 30회 자유 수강권

※ 콕 강의 자유수강은 ID당 1회만 사용할 수 있습니다.

| 콕 강의 30회 무료 수강 쿠폰 | 박스 안을 연필 또는 샤프펜슬로 칠하면 번호가 보입니다. |

이용 방법

 수박씨닷컴 접속
www.soobakc.com

> 메인 중앙
'비상교재 혜택존' 클릭

> 쿠폰
번호 입력

> 강의 수강 및
당첨 경품 확인!

혜택 2

쿠폰 등록하면
100% 선물 당첨

※ 당첨 경품은 매월 변경됩니다.

족보닷컴 기출문제
다운로드권

수행평가 자료
다운로드권

수박씨닷컴은 최고 실력의 강사진과 브랜드 파워 1위의 비상교재, 1:1 담임제 학습관리로 최상의 교육 서비스를 제공합니다.
문의 1544-7380 | www.soobakc.com

개념+유형

PLUS

최고수준

TOP 탑

중등 수학

1·1

STRUCTURE

Step1

개념+대표 문제 확인하기

단원별로 꼭 알아야 할 핵심 개념과 출제율이 가장 높은 대표 문제로 내신 기본기를 다질 수 있다.

Step2

내신 5% 따라잡기

까다로운 기출문제와 적중률이 높은 예상 문제로 내신 만점을 달성할 수 있다.

---

step 1　개념+대표 문제 확인하기

● 정답과 해설 33쪽

01 정비례 관계

1 정비례 관계

(1) 정비례: 두 변수 x, y에 대하여
x의 값이 2배, 3배, 4배, …로 변함에 따라 y의 값도 2배, 3배, 4배, …로 변할 때,
y는 x에 정비례한다고 한다.

(2) 정비례 관계식: $y=ax(a \neq 0)$ ➡ $\dfrac{y}{x}=a$로 항상 일정하다.

2 정비례 관계 $y=ax(a \neq 0)$의 그래프

x의 값의 범위가 수 전체일 때, 정비례 관계 $y=ax(a \neq 0)$의 그래프는 원점을 지나는 직선이다.

	$a>0$일 때	$a<0$일 때
그래프		
지나는 사분면	제1사분면과 제3사분면을 지난다.	제2사분면과 제4사분면을 지난다.
그래프의 모양	오른쪽 위로 향하는 직선	오른쪽 아래로 향하는 직선
증가·감소 상태	x의 값이 커지면 y의 값도 커진다.	x의 값이 커지면 y의 값은 작아진다.

참고 • 특별한 말이 없으면 정비례 관계 $y=ax(a \neq 0)$에서 x의 값의 범위는 수 전체로 생각한다.
• 정비례 관계 $y=ax$의 그래프는 a의 절댓값이 클수록 y축에 가까워진다.

개념 더하기

• $y=a|x|(a \neq 0)$의 그래프
(1) $a>0$일 때

(2) $a<0$일 때

➡ $y=a|x|(a \neq 0)$의 그래프는 a의 값에 관계없이 y축에 대하여 항상 대칭이다.

대표 문제

1 다음 표에서 y가 x에 정비례할 때, $b-a$의 값을 구하시오.

x	-4	a	2	3
y	12	-3	-6	b

2 다음 중 정비례 관계 $y=-5x$의 그래프에 대한 설명으로 옳지 않은 것을 모두 고르면? (정답 2개)

① 원점을 지난다.
② 오른쪽 아래로 향하는 직선이다.
③ 점 $(-5, 1)$을 지난다.
④ 제1사분면과 제3사분면을 지난다.
⑤ x의 값이 커지면 y의 값은 작아진다.

3 정비례 관계 $y=ax$의 그래프가 두 점 $(-2, b)$, $(3, -2)$를 지날 때, $a+b$의 값은? (단, a는 상수)

① $-\dfrac{4}{3}$　② $-\dfrac{2}{3}$　③ $\dfrac{2}{3}$
④ $\dfrac{4}{3}$　⑤ $\dfrac{8}{3}$

창의 융합

4 다음 좌표평면 위에 $y=2|x|$의 그래프를 그리시오.

개념 더하기 핵심 개념과 연계되는 심화 개념 또는 상위 개념

---

step 2　내신 5% 따라잡기

● 정답과 해설 33쪽

01 정비례 관계

중요
1 정비례 관계 $y=ax$의 그래프가 오른쪽 그림과 같을 때, 상수 a의 값이 큰 그래프부터 차례로 나열한 것은?

① ㉢, ㉠, ㉤, ㉡
② ㉢, ㉤, ㉠, ㉡
③ ㉤, ㉢, ㉠, ㉡
④ ㉤, ㉠, ㉢, ㉡
⑤ ㉤, ㉢, ㉡, ㉠

2 원점이 아닌 두 점 A$(-m+3, m-3)$, B$(13n, 8)$이 모두 정비례 관계 $y=ax$의 그래프 위의 점일 때, $a+n$의 값은? (단, a는 상수)

① $-\dfrac{21}{13}$　② -1　③ $-\dfrac{8}{13}$
④ $\dfrac{8}{13}$　⑤ $\dfrac{21}{13}$

3 정비례 관계 $y=ax$의 그래프가 오른쪽 그림과 같이 두 정비례 관계 $y=\dfrac{5}{3}x$와 $y=-\dfrac{1}{4}x$의 그래프 사이의 색칠한 부분에 있을 때, 다음 중 상수 a의 값이 될 수 없는 것은?

① $-\dfrac{1}{5}$　② $-\dfrac{1}{6}$　③ $\dfrac{1}{4}$
④ 1　⑤ 2

4 오른쪽 그림과 같이 두 정비례 관계 $y=\dfrac{1}{2}x$, $y=ax$의 그래프 위의 두 점 A, B를 이은 선분 AB가 x축과 수직으로 만난다. 이때 y축과 만나는 점 P에 대하여 선분 AP의 길이와 선분 BP의 길이의 비가 $1:2$일 때, 상수 a의 값은?

① -3　② -2　③ -1
④ $-\dfrac{1}{3}$　⑤ $-\dfrac{1}{4}$

5 좌표평면 위에 두 점 A$(-4, 1)$, B$(-2, -3)$이 있다. 점 A와 x축에 대하여 대칭인 점을 C라 할 때, 정비례 관계 $y=ax$의 그래프가 선분 BC와 만나기 위한 상수 a의 값의 범위를 구하시오.

교과서 심화
6 오른쪽 그림과 같이 두 정비례 관계 $y=3x$와 $y=\dfrac{1}{3}x$의 그래프가 정사각형 ABCD와 각각 점 A, C에서 만난다. 점 A의 y좌표가 12일 때, 점 D의 좌표는? (단, 정사각형의 모든 변은 좌표축에 각각 평행하다.)

① $(8, 12)$　② $(10, 12)$　③ $(12, 12)$
④ $\left(\dfrac{35}{3}, 12\right)$　⑤ $\left(\dfrac{40}{3}, 12\right)$

Step3

내신 1% 뛰어넘기

경시대회와 고난도 기출문제의 변형 및 예상 문제로 내신 만점 이상의 실력을 쌓을 수 있다.

서술형

서술형 완성하기

2개 단원씩 묶인 다양한 유형의 서술형 문제와 고난도 서술형 문제를 연습할 수 있다.

---

step 3 내신 **1%** 뛰어넘기 ▶▶▶

● 정답과 해설 37쪽

01 오른쪽 그림과 같이 제1사분면 위의 점 A는 정비례 관계 $y=x$의 그래프 위를 움직인다. 점 A에서 x축에 수선을 그어 x축과 만나는 점을 B라 하고, 선분 AB를 한 변으로 하는 정사각형 ABCD에 대하여 점 D는 정비례 관계 $y=ax$의 그래프 위를 움직일 때, 상수 a의 값을 구하시오. (단, $0<a<1$)

02 오른쪽 그림과 같이 $y=a|x|$의 그래프는 x축과 평행하고 점 $(0, 4)$를 지나는 직선 l과 두 점 P, Q에서 만난다. 삼각형 POQ의 넓이가 10일 때, 상수 a의 값을 구하시오. (단, O는 원점)

03 반비례 관계 $y=\dfrac{a}{x}$의 그래프가 점 $\left(\dfrac{1}{3}, -9\right)$를 지날 때, 이 그래프 위의 점 중에서 x좌표와 y좌표가 모두 정수인 점들을 연결하여 만든 사각형의 넓이를 구하시오. (단, a는 상수)

5~6 서술형 완성하기

● 정답과 해설 38쪽

모든 문제는 풀이 과정을 자세히 서술한 후 답을 쓰세요.

1 두 점 A$(a, -b)$, B$(-c, d)$가 각각 제1사분면과 제2사분면 위의 점일 때, 점 C$\left(\dfrac{a+c}{2}, \dfrac{b-d}{2}\right)$는 제몇 사분면 위의 점인지 구하시오.

풀이 과정

답

2 점 P$(5, 2)$와 x축에 대하여 대칭인 점을 A, y축에 대하여 대칭인 점을 B, 원점에 대하여 대칭인 점을 C라 할 때, 다음 물음에 답하시오.

(1) 세 점 A, B, C의 좌표를 각각 구하시오.
(2) 세 점 A, B, C를 꼭짓점으로 하는 삼각형 ABC의 넓이를 구하시오.

풀이 과정
(1)

(2)

답 (1)   (2)

3 오른쪽 그래프는 어느 저수지에 물을 빼기 위해 수문을 열고 닫을 때, 저수지에 있는 물의 양을 시간에 따라 나타낸 것이다. 다음 물음에 답하시오.

(1) 저수지에서 뺀 물의 양은 모두 몇 톤인지 구하시오.
(2) 물을 빼기 위해 저수지의 수문을 연 시간은 모두 몇 시간인지 구하시오.

풀이 과정
(1)

(2)

답 (1)   (2)

4 정비례 관계 $y=ax$의 그래프가 두 점 $\left(4, -\dfrac{1}{2}\right)$, $(b, 2)$를 지날 때, ab의 값을 구하시오. (단, a는 상수)

풀이 과정

답

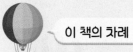

이 책의 차례

CONTENTS

1 소인수분해

01 소인수분해

개념 활용하기

1 소수와 합성수

(1) 소수: 1보다 큰 자연수 중에서 약수가 1과 자기 자신뿐인 수

① 모든 소수의 약수는 2개이다. → 1과 자기 자신으로 2개

② 소수 중에서 짝수는 2뿐이고, 나머지는 모두 홀수이다.

(2) 합성수: 1보다 큰 자연수 중에서 소수가 아닌 수

[예] 소수: 2, 3, 5, 7, 11, …   합성수: 4, 6, 8, 9, 10, …

[참고] 1은 소수도 아니고 합성수도 아니다.

■ 약수의 개수에 따른 자연수의 분류

① 약수가 1개인 수: 1
② 약수가 2개인 수: 소수
③ 약수가 3개 이상인 수: 합성수

2 거듭제곱

(1) 거듭제곱: 같은 수나 문자를 여러 번 곱한 것을 간단히 나타낸 것

[예] 2^2 ➡ 2의 제곱, 2^3 ➡ 2의 세제곱, 2^4 ➡ 2의 네제곱, …

(2) 밑: 거듭제곱에서 곱하는 수

(3) 지수: 거듭제곱에서 밑을 곱한 횟수

$$2^3 \quad \text{지수} \atop \text{밑}$$

3 소인수분해

(1) 소인수: 어떤 자연수의 ^{약수} 인수 중에서 소수인 것

(2) 소인수분해: 1보다 큰 자연수를 소인수만의 곱으로 나타내는 것

[예] 18을 소인수분해하면

$$\begin{array}{r} 2)\underline{18} \\ 3)\underline{\ 9} \\ 3 \end{array} \qquad \therefore 18 = 2 \times 3^2$$

■ 소인수분해를 이용하여 제곱인 수 만들기

❶ 주어진 수를 소인수분해한다.
❷ 소인수의 지수가 모두 짝수가 되도록 적당한 자연수를 곱하거나 적당한 자연수로 나눈다.

4 소인수분해를 이용하여 약수와 약수의 개수 구하기

자연수 A가 $A = a^m \times b^n$ (a, b는 서로 다른 소수, m, n은 자연수)으로 소인수분해될 때

(1) A의 약수: (${a^m}$의 약수) × (${b^n}$의 약수)
   $\underset{1,\ a,\ a^2,\ \cdots,\ a^m}{} \quad \underset{1,\ b,\ b^2,\ \cdots,\ b^n}{}$

(2) A의 약수의 개수: $(m+1) \times (n+1)$개
   └→소인수의 각 지수에 1을 더하여 곱한다.

[예] $20 = 2^2 \times 5$의 약수

×	1	2	2^2
1	1	2	4
5	5	10	20

→2^2의 약수
5의 약수
→20의 약수

대표 문제

1 다음 중 소수에 대한 설명으로 옳은 것은?

① 1은 소수이다.

② 소수는 모두 홀수이다.

③ 5의 배수 중 소수는 한 개뿐이다.

④ 두 소수의 합은 소수이다.

⑤ 모든 짝수는 합성수이다.

3 $126 \times a = b^2$을 만족시키는 가장 작은 자연수 a, b에 대하여 $a+b$의 값을 구하시오.

2 다음 중 소인수분해하였을 때, 서로 다른 소인수의 개수가 가장 많은 것은?

① 12   ② 42   ③ 75

④ 88   ⑤ 125

4 360과 $32 \times 3^a \times 7^b$의 약수의 개수가 같을 때, 자연수 a, b에 대하여 ab의 값은?

① 1   ② 2   ③ 3

④ 4   ⑤ 5

1 **공약수와 최대공약수**

(1) 공약수: 두 개 이상의 자연수의 공통인 약수   예 4의 약수: 1, 2, 4

6의 약수: 1, 2, 3, 6 ⟹ 공약수: 1, ②
⌐최대공약수

(2) 최대공약수: 공약수 중에서 가장 큰 수

(3) 최대공약수의 성질: 두 개 이상의 자연수의 공약수는 그 수들의 최대공약수의 약수이다.

예 4와 6의 공약수 1, 2는 최대공약수 2의 약수이다.

(4) 서로소: 최대공약수가 1인 두 자연수   예 3과 7은 최대공약수가 1이므로 서로소이다.

2 **최대공약수 구하기**

예 18, 30, 54의 최대공약수를 구하시오.

방법 1 소인수분해를 이용한 방법

$18 = 2 \times 3^2$

$30 = 2 \times 3 \times 5$

$54 = 2 \times 3^3$

(최대공약수) $= 2 \times 3 = 6$

지수가 같으면← ←→ 지수가 다르면
그대로 곱한다.   작은 것을 곱한다.

방법 2 나눗셈을 이용한 방법

1 이외의 공약수로 나눈다.←

2) 18 30 54
3) 9 15 27
     3   5   9 →세 수의 공약수가 1뿐이면
             더 이상 나누지 않는다.

(최대공약수) $= 2 \times 3 = 6$

3 **최대공약수의 활용**: 활용 문제의 문장에 다음과 같은 표현이 있는 경우에는 대부분 최대공약수를 이용한다.

• 가능한 한 많이   • 가능한 한 큰   • 최대한 + • 똑같이 나눈다.   • 일정하게 나눈다. ➡ 최대공약수의 활용

└→ 최대를 의미   └→ 공약수를 의미

대표 문제

5 두 자연수 $2^2 \times 3^a \times 5^2$, $3^3 \times 5^b \times 7$의 최대공약수가 45일 때, $a+b$의 값을 구하시오. (단, a, b는 자연수)

6 다음 중 두 수 $2^3 \times 3^2$, $2^2 \times 3^2 \times 5$의 공약수가 <u>아닌</u> 것은?

① 4   ② 8   ③ 12

④ 18   ⑤ 36

7 다음 중 두 수가 서로소인 것은?

① 12, 15   ② 28, 35   ③ 39, 65

④ 21, 56   ⑤ 25, 49

8 가로의 길이가 64 cm, 세로의 길이가 80 cm인 직사각형 모양의 벽에 크기가 같은 정사각형 모양의 타일을 빈틈없이 붙이려고 한다. 가능한 한 큰 타일을 사용할 때, 필요한 타일의 개수는?

① 4개   ② 5개   ③ 9개

④ 16개   ⑤ 20개

9 두 분수 $\dfrac{48}{n}$, $\dfrac{72}{n}$를 모두 자연수가 되게 하는 자연수 n의 개수를 구하시오.

10 어떤 수로 39, 63, 87 중 어느 것을 나누어도 항상 3이 남는다고 할 때, 이러한 수 중에서 가장 큰 수를 구하시오.

03 최소공배수와 그 활용

1 공배수와 최소공배수

(1) 공배수: 두 개 이상의 자연수의 공통인 배수 　예　 6의 배수: 6, 12, 18, 24, 30, …

(2) 최소공배수: 공배수 중에서 가장 작은 수 　8의 배수: 8, 16, 24, 32, 40, … 　➡ 공배수: 24, 48, … ←최소공배수

(3) **최소공배수의 성질**: 두 개 이상의 자연수의 공배수는 그 수들의 최소공배수의 배수이다.

　예　 6과 8의 공배수 24, 48, …은 최소공배수 24의 배수이다.

2 최소공배수 구하기

　예　 20, 24, 36의 최소공배수를 구하시오.

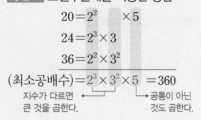

방법 1 소인수분해를 이용한 방법

$$20 = 2^2 \quad \times 5$$
$$24 = 2^3 \times 3$$
$$36 = 2^2 \times 3^2$$
$$(최소공배수) = 2^3 \times 3^2 \times 5 = 360$$

지수가 다르면 큰 것을 곱한다. ← 공통이 아닌 것도 곱한다.

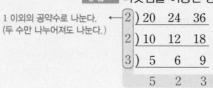

방법 2 나눗셈을 이용한 방법

1 이외의 공약수로 나눈다. ← (두 수만 나누어져도 나눈다.)

```
2) 20  24  36
2) 10  12  18
3)  5   6   9
    5   2   3
```

$$(최소공배수) = 2 \times 2 \times 3 \times 5 \times 2 \times 3 = 2^3 \times 3^2 \times 5 = 360$$

3 최소공배수의 활용: 활용 문제의 문장에 다음과 같은 표현이 있는 경우에는 대부분 최소공배수를 이용한다.

· 처음으로 다시 · 가능한 한 작은 · 최소한 + · 동시에 출발한다. · 만난다, 맞물린다. ➡ 최소공배수의 활용

→ 최소를 의미 　　　　　　　　　　　　　　→ 공배수를 의미

4 최대공약수와 최소공배수의 관계

두 자연수 A, B의 최대공약수를 G, 최소공배수를 L이라 하면 다음이 성립한다.

(1) $A = a \times G$, $B = b \times G$ (단, a, b는 서로소)

(2) $L = a \times b \times G = a \times B = b \times A$

(3) $A \times B = L \times G \rightarrow A \times B = (a \times G) \times (b \times G) = (a \times b \times G) \times G = L \times G$

$$\begin{array}{c} G)\underline{A \quad B} \\ a \quad b \end{array}$$
서로소

대표 문제

11 두 자연수 $2^a \times 5$, $2^2 \times 5^b \times c$의 최소공배수가 $2^3 \times 5^2 \times 7$일 때, $a + b + c$의 값을 구하시오.

(단, a, b는 자연수, c는 소수)

12 세 수 8, 16, 20의 공배수 중에서 900에 가장 가까운 수를 구하시오.

13 어느 역에서 기차는 42분마다, 전철은 12분마다 출발한다. 오전 8시에 기차와 전철이 동시에 출발하였을 때, 처음으로 다시 동시에 출발하는 시각을 구하시오.

14 두 분수 $\dfrac{1}{12}$, $\dfrac{1}{16}$의 어느 것에 곱해도 그 결과가 자연수가 되게 하는 가장 작은 자연수를 구하시오.

15 6, 15, 24의 어느 수로 나누어도 나머지가 2인 세 자리의 자연수 중에서 두 번째로 작은 수를 구하시오.

16 두 자연수의 곱이 $2^4 \times 3^3 \times 5^2 \times 7$이고 최소공배수가 $2^3 \times 3^2 \times 5 \times 7$일 때, 두 수의 최대공약수를 구하시오.

01 소인수분해

1 자연수 a보다 작거나 같은 소수가 6개일 때, a의 값이 될 수 있는 수의 개수를 구하시오.

2 다음 조건을 모두 만족시키는 자연수 n의 개수를 구하시오.

┌ 조건 ├
(가) n은 20보다 작은 자연수이다.
(나) n의 모든 약수의 합은 $1+n$이다.

교과서 속 심화
3 3^{2018}의 일의 자리의 숫자를 구하시오.

4 다음은 오른쪽 보기와 같은 방법으로 자연수 A를 소인수분해한 것이다. B, D, E는 10보다 작은 소수일 때, $E=B+D$를 만족시키는 A의 값을 모두 구하시오.

┌ 보기 ├
$$154 \big\langle \begin{matrix} 2 \\ 77 \end{matrix} \big\langle \begin{matrix} 7 \\ 11 \end{matrix}$$
$\Rightarrow 154 = 2 \times 7 \times 11$

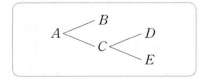

5 오른쪽 그림과 같이 2, 3, 7이 하나씩 적힌 카드가 각각 4장씩 들어 있는 주머니가 있다.
지혜와 찬이가 이 주머니에서 번갈아 가며 카드를 뽑는 놀이를 할 때, 다음 중 두 사람이 뽑은 카드에 적힌 수의 곱이 될 수 없는 수는? (단, 카드는 여러 장 뽑을 수 있고 뽑힌 카드는 다시 넣지 않는다.)

① 12 　　② 48 　　③ 56
④ 63 　　⑤ 96

중요
6 135에 자연수를 곱하여 어떤 자연수의 제곱이 되게 하려고 한다. 곱해야 하는 가장 작은 자연수를 a, 두 번째로 작은 자연수를 b라 할 때, $b-a$의 값은?

① 43 　　② 44 　　③ 45
④ 46 　　⑤ 47

7 200을 자연수 a로 나누어 어떤 자연수의 제곱이 되도록 할 때, 모든 a의 값의 합을 구하시오.

8 $\dfrac{225}{n}$가 자연수가 되도록 하는 모든 자연수 n의 값의 합은?

① 24 　　② 225 　　③ 360
④ 403 　　⑤ 450

9 $2^2 \times \square$의 약수가 12개일 때, 다음 중 $\square$ 안에 들어갈 수 없는 수는?

① 18   ② 27   ③ 77

④ 196   ⑤ 512

10 다음 조건을 모두 만족시키는 자연수 N의 값 중에서 가장 큰 수를 구하시오.

┌─ 조건 ├─

(가) N을 소인수분해하면 소인수는 2, 3, 7뿐이다.

(나) N의 약수는 12개이다.

(다) N은 150 이하의 자연수이다.

11 약수가 6개인 자연수 중에서 가장 작은 수를 구하시오.

교과서 속 심화

12 100 이하의 자연수 중에서 약수가 3개인 수의 개수를 구하시오.

02 최대공약수와 그 활용

13 세 자연수 a, 72, 126의 최대공약수가 6일 때, a의 값이 될 수 있는 수 중에서 50 이하의 자연수의 개수를 구하시오.

14 두 자연수 24와 a의 공약수가 1개일 때, 1보다 크고 100 이하인 자연수 중에서 a의 값이 될 수 있는 수의 개수는?

① 17개   ② 20개   ③ 25개

④ 30개   ⑤ 32개

15 세 수 A, $2^2 \times 3^3 \times 5 \times 7$, $2^3 \times 3^2 \times 7^2$의 최대공약수가 $2^2 \times 3^2 \times 7$일 때, 다음 중 A의 값이 될 수 없는 것은?

① $2^2 \times 3^2 \times 7^2$ ② $2^3 \times 3^4 \times 7$

③ $2^2 \times 3^2 \times 5 \times 7$ ④ $2^2 \times 3^3 \times 5 \times 7$

⑤ $2^3 \times 3 \times 7$

16 한 개에 700원인 칫솔 72개, 한 개에 1000원인 치약 54개, 한 개에 500원인 비누 126개를 세트로 판매하려고 한다. 각 세트에 들어 있는 칫솔, 치약, 비누의 개수는 각각 같게 하고 세트를 가능한 한 많이 만들려고 할 때, 한 세트의 가격을 구하시오. (단, 세트의 가격은 칫솔, 치약, 비누의 가격의 합과 같다.)

17 가로의 길이가 54 cm, 세로의 길이가 90 cm인 직사각형을 남는 부분 없이 나누어 크기가 같은 여러 개의 정사각형을 만들려고 한다. 한 개의 정사각형의 넓이가 50 cm² 이상 100 cm² 이하일 때, 만들어지는 정사각형의 개수는?

(단, 정사각형의 한 변의 길이는 자연수이다.)

① 15개　　　　② 48개　　　　③ 60개

④ 135개　　　⑤ 148개

18 오른쪽 그림과 같이 가로의 길이가 384 m, 세로의 길이가 224 m인 직사각형 모양의 공원의 가장자리를 따라 일정한 간격으로 가로등을 세우려고 한다. 가로등의 개수는 최소로 하고 공원의 네 모퉁이에는 반드시 가로등을 설치한다고 할 때, 필요한 가로등의 개수를 구하시오.

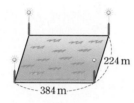

224 m

384 m

중요
19 연필 19자루, 공책 86권, 지우개 45개를 되도록 많은 학생들에게 똑같이 나누어 주려고 하였더니 연필은 5자루가 부족하고, 공책은 2권이 남고, 지우개는 3개가 부족하였다. 이때 학생 수는?

① 8명　　　　② 12명　　　　③ 18명

④ 20명　　　⑤ 24명

03 최소공배수와 그 활용

20 세 수 $2^a \times 3^3 \times 5^3$, $2^3 \times 3^4 \times b$, $2^2 \times 3^c \times 5^2$의 최대공약수는 $2^2 \times 3^2 \times 5$이고 최소공배수는 $2^4 \times 3^4 \times 5^3$일 때, 자연수 a, b, c에 대하여 $a+b+c$의 값을 구하시오.

(단, b는 소수)

중요
21 세 자연수의 비가 2 : 3 : 6이고 최소공배수가 108일 때, 세 자연수 중에서 두 번째로 큰 수는?

① 32　　　　② 36　　　　③ 54

④ 60　　　⑤ 72

22 톱니의 수가 각각 12개, 20개인 두 톱니바퀴가 서로 맞물려 돌아가고 있다. 두 톱니바퀴가 한 번 맞물린 후 같은 톱니에서 처음으로 다시 맞물리려면 톱니의 수가 12개인 톱니바퀴는 몇 바퀴를 회전해야 하는지 구하시오.

23 동은이는 4일마다 조깅을, 6일마다 줄넘기를 한다고 한다. 어느 토요일에 조깅과 줄넘기를 함께 했다고 할 때, 이날로부터 두 가지 운동을 다시 처음으로 함께 하게 되는 토요일은 며칠 후인가?

① 12일 후　　② 42일 후　　③ 56일 후

④ 84일 후　　⑤ 98일 후

24 희진이와 나윤이는 같은 날 아르바이트를 시작하였다. 희진이는 3일 동안 일한 후 하루를 쉬고, 나윤이는 5일 동안 일한 후 이틀을 쉬기로 하였다. 아르바이트를 시작한 날부터 290일 동안 두 사람이 함께 쉬는 날은 모두 며칠인지 구하시오.

25 가로의 길이가 6 cm, 세로의 길이가 8 cm, 높이가 12 cm인 직육면체 모양의 블록 300개가 있다. 이 블록을 한 방향으로 빈틈없이 쌓아서 정육면체를 만들려고 할 때, 최대로 사용 가능한 블록의 개수는?

① 24개 ② 72개 ③ 144개
④ 192개 ⑤ 288개

26 은지네 학교에서는 모둠별로 게임을 하는 행사에 150명 이상 200명 미만의 학생들이 참가하였다. 한 모둠에 들어가는 학생을 4명씩 배정하면 2명이 남고, 5명씩 배정하면 2명이 부족하고, 6명씩 배정하면 4명이 남는다. 이 행사에 참가한 학생 수를 구하시오.

교과서 속 심화
27 서로 다른 세 자연수 24, 36, N의 최대공약수가 12이고 최소공배수가 360일 때, 자연수 N의 값을 모두 구하시오.

28 두 자연수 A, B에 대하여 최대공약수를 $<A, B>$, 최소공배수를 $[A, B]$로 나타낼 때, $<a, 8>=2$, $[a, 12]=84$를 만족시키는 자연수 a의 값을 모두 구하시오.

중요
29 세 분수 $\dfrac{7}{12}$, $\dfrac{35}{18}$, $\dfrac{49}{24}$의 어느 것에 곱해도 그 결과가 자연수가 되게 하는 분수 중에서 가장 작은 기약분수를 $\dfrac{b}{a}$라 할 때, $b-a$의 값을 구하시오.

30 두 자연수의 최대공약수가 12, 최소공배수가 180일 때, 이 두 자연수의 합 중에서 가장 작은 수는?

① 48 ② 72 ③ 96
④ 144 ⑤ 192

31 $A>B$인 두 자연수 A, B에 대하여 $A+B=30$이고 A, B의 최대공약수는 6이다. 다음 중 A, B의 최소공배수가 될 수 있는 것을 모두 고르면? (정답 2개)

① 24 ② 32 ③ 36
④ 40 ⑤ 45

01 자연수 N을 소인수분해하였을 때, 소인수 2의 지수를 $<N>$으로 나타내기로 하자. 예를 들어 $N=12$이면 $12=2^2\times 3$이므로 $<12>=2$이다. N이 100보다 작은 자연수일 때, $<N>=3$을 만족시키는 자연수 N의 개수를 구하시오.

02 $2^2\times 3^3\times a$의 약수가 16개이고 네 자리의 자연수 $6a34$는 3의 배수일 때, a의 값을 구하시오.

03 다음 조건을 모두 만족시키는 자연수 N의 값을 구하시오.

┤ 조건 ├
㈎ N은 두 자리의 자연수이다.
㈏ 120과 N의 최대공약수는 15이다.
㈐ $120+N$은 11의 배수이다.

TOP
04 한 원에서 원주 위를 같은 방향으로 움직이는 세 점 A, B, C가 있다. 각각 일정한 속력으로 3분에 45바퀴, 60바퀴, 90바퀴를 돈다고 할 때, 원주 위의 한 점 P에서 세 점 A, B, C가 동시에 출발한 이후에 1시간 동안 점 P를 동시에 통과하는 횟수를 구하시오.

05 두 자연수 A, B의 합이 15이고, A와 B의 최소공배수를 최대공약수로 나누면 6으로 나누어 떨어진다. 이때 $A-B$의 값을 구하시오. (단, $A>B$)

2 정수와 유리수

개념＋^{대표} 문제 확인하기

● 정답과 해설 6쪽

01 정수와 유리수

1 양수와 음수

(1) **부호를 가진 수**: 서로 반대되는 성질의 두 수량을 나타낼 때, 어떤 기준을 중심으로 한쪽 수량에는 ＋ 부호를, 다른 쪽 수량에는 － 부호를 붙여 나타낸다. 이때 '＋'를 **양의 부호**, '－'를 **음의 부호**라 한다.

(2) **양수와 음수**: 양의 부호 ＋가 붙은 수를 양수, 음의 부호 －가 붙은 수를 음수라 한다.

> 참고 0은 양수도 아니고 음수도 아니다.

2 정수: 양의 정수, 0, 음의 정수를 통틀어 정수라 한다.

(1) **양의 정수**: 자연수에 양의 부호 ＋를 붙인 수 예 ＋1, ＋2, ＋3, … → 0보다 1, 2, 3, …만큼 큰 수

(2) **음의 정수**: 자연수에 음의 부호 －를 붙인 수 예 －1, －2, －3, … → 0보다 1, 2, 3, …만큼 작은 수

> 참고 양의 정수는 ＋ 부호를 생략하여 나타내기도 하므로 자연수와 같다.

3 유리수: 양의 유리수, 0, 음의 유리수를 통틀어 유리수라 한다.

(1) **양의 유리수**: 분자, 분모가 자연수인 분수에 양의 부호 ＋를 붙인 수 예 $+\frac{2}{3}, +2\left(=+\frac{2}{1}\right), +1.3\left(=+\frac{13}{10}\right)$

(2) **음의 유리수**: 분자, 분모가 자연수인 분수에 음의 부호 －를 붙인 수 예 $-\frac{1}{2}, -3\left(=-\frac{3}{1}\right), -0.7\left(=-\frac{7}{10}\right)$

(3) **유리수의 분류**

$$\text{유리수} \begin{cases} \text{정수} \begin{cases} \text{양의 정수(자연수)}: +1, +2, +3, \cdots \\ 0 \\ \text{음의 정수}: -1, -2, -3, \cdots \end{cases} \\ \text{정수가 아닌 유리수}: -\frac{1}{3}, -2.4, +\frac{3}{4}, +0.5, \cdots \end{cases}$$

> 참고 앞으로 특별한 말이 없을 때는 수라고 하면 유리수를 말한다.

대표 문제

1 증가하거나 0보다 크면 ＋ 부호, 감소하거나 0보다 작으면 － 부호를 사용하여 밑줄 친 부분을 나타낼 때, 다음 중 부호가 나머지 넷과 <u>다른</u> 하나는?

① 용무는 이번 달에 몸무게를 <u>10 kg 감량</u>하였다.

② 연우는 약속 시간 <u>5분 전</u>에 출발하였다.

③ 오늘 서울의 평균 기온은 <u>영상 15 ℃</u>이다.

④ 선희는 책을 사는 데 <u>9000원을 썼다.</u>

⑤ 우리 팀은 오늘 시합에서 <u>5점을 실점</u>하였다.

2 다음 수 중에서 자연수의 개수를 a개, 음의 정수의 개수를 b개, 정수의 개수를 c개라 할 때, $a+b+c$의 값을 구하시오.

$$-4, \quad -2.7, \quad -\frac{1}{2}, \quad 0, \quad +6, \quad \frac{21}{3}$$

3 다음 수 중에서 정수가 아닌 유리수를 모두 고르시오.

$$-4.1, \quad 0, \quad -\frac{4}{3}, \quad \frac{8}{2}, \quad +5, \quad -2, \quad +1.9$$

4 다음 중 옳은 것은?

① 가장 작은 유리수는 0이다.

② 유리수는 양의 유리수와 음의 유리수로 이루어져 있다.

③ 모든 유리수는 수직선 위에 나타낼 수 있다.

④ 정수 중에는 유리수가 아닌 수도 있다.

⑤ －1과 1 사이에는 유리수가 1개 있다.

02 절댓값 / 수의 대소 관계

1 절댓값

수직선 위에서 원점과 어떤 수에 대응하는 점 사이의 거리를 그 수의 절댓값이라 한다.

기호 a의 절댓값 ➡ $|a|$

(1) 절댓값이 $a(a>0)$인 수는 $-a$, $+a$의 2개이다.

예 절댓값이 3인 수는 -3, $+3$의 2개이다.

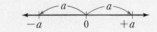

(2) 0의 절댓값은 0이다. 즉, $|0|=0$

(3) 수를 수직선 위에 나타낼 때, 원점에서 멀어질수록 절댓값이 커진다.

2 수의 대소 관계

(1) 수의 대소 관계

① (음수)$<0<$(양수) **예** $-2<0<+3$

② 두 양수끼리는 절댓값이 큰 수가 크다. **예** $+5>+1$

③ 두 음수끼리는 절댓값이 큰 수가 작다. **예** $-7<-4$

(2) 부등호의 사용

$a>b$	$a<b$	$a \geq b$	$a \leq b$
a는 b보다 크다. a는 b 초과이다.	a는 b보다 작다. a는 b 미만이다.	a는 b보다 크거나 같다. a는 b보다 작지 않다. a는 b 이상이다.	a는 b보다 작거나 같다. a는 b보다 크지 않다. a는 b 이하이다.

예 • a는 1보다 크거나 같다. ➡ $a \geq 1$
 • a는 3보다 크고 5보다 작거나 같다. ➡ $3<a \leq 5$

대표 문제

5 수직선 위에서 어떤 두 수에 대응하는 두 점 사이의 거리가 8이고 한가운데에 있는 점에 대응하는 수가 -3일 때, 이 두 수를 각각 구하시오.

6 두 정수 a, b에 대하여 $|a|=|b|$이고 a가 b보다 22만큼 작을 때, b의 값을 구하시오.

7 다음 중 대소 관계가 옳은 것은?

① $-5>0$　　② $|-3|<0$　　③ $3.5<2\frac{4}{5}$

④ $-\frac{1}{2}>\frac{1}{3}$　　⑤ $-\frac{2}{3}>-\frac{3}{4}$

8 두 정수 x, y가 아래 조건을 모두 만족시킬 때, 다음 중 x의 값이 될 수 있는 것은?

┌ 조건 ┐

(가) y는 절댓값이 4보다 작은 정수이다.

(나) $x<0<y$

(다) y의 절댓값은 x의 절댓값의 $\frac{1}{4}$배이다.

└─────┘

① -5　　② -4　　③ -3

④ -2　　⑤ -1

9 -1보다 크거나 같고 $\frac{31}{6}$보다 작은 정수의 개수를 구하시오.

03 정수와 유리수의 덧셈과 뺄셈

1 수의 덧셈
  (1) 부호가 같은 두 수의 덧셈: 두 수의 절댓값의 합에 공통인 부호를 붙인다.
    예 · $(+1)+(+2)=+3$ · $(-1)+(-2)=-3$

  (2) 부호가 다른 두 수의 덧셈: 두 수의 절댓값의 차에 절댓값이 큰 수의 부호를 붙인다.
    예 · $(+1)+(-2)=-1$ · $(-1)+(+2)=+1$

    참고 절댓값이 같고 부호가 다른 두 수의 합은 0이다.   예 $(+5)+(-5)=0$

2 덧셈의 연산법칙: 세 수 a, b, c에 대하여
  (1) 덧셈의 교환법칙: $a+b=b+a$ (2) 덧셈의 결합법칙: $(a+b)+c=a+(b+c)$

3 수의 뺄셈
  두 수의 뺄셈은 빼는 수의 부호를 바꾸어 덧셈으로 고쳐서 계산한다.
    예 · $(+3)-(+4)=(+3)+(-4)$ · $(+3)-(-4)=(+3)+(+4)$

4 덧셈과 뺄셈의 혼합 계산
  뺄셈은 모두 덧셈으로 고친 후, 덧셈의 교환법칙과 결합법칙을 이용하여 양수는 양수끼리, 음수는 음수끼리 모아서 계산하면 편리하다.
    참고 · 수의 덧셈과 뺄셈에서 양수는 양의 부호와 괄호를 생략하여 나타낼 수 있고, 음수가 식의 맨 앞에 나올 때는 괄호를 생략하여 나타낼 수 있다.
    · 부호가 없는 수의 계산에서는 생략된 + 부호와 괄호를 살려서 계산한다.

대표 문제

10 다음 계산 과정에서 ㉠, ㉡에 이용된 덧셈의 연산법칙을 각각 쓰시오.

$$\begin{aligned}
\frac{3}{4}-\frac{2}{5}+\frac{1}{4}&=\left(+\frac{3}{4}\right)-\left(+\frac{2}{5}\right)+\left(+\frac{1}{4}\right) \\
&=\left(+\frac{3}{4}\right)+\left(+\frac{1}{4}\right)+\left(-\frac{2}{5}\right) \quad ㉠ \\
&=\left\{\left(+\frac{3}{4}\right)+\left(+\frac{1}{4}\right)\right\}+\left(-\frac{2}{5}\right) \quad ㉡ \\
&=(+1)+\left(-\frac{2}{5}\right)=\frac{3}{5}
\end{aligned}$$

11 다음 중 계산 결과가 가장 큰 것은?
  ① $(-6)+(-11)+(+1)-(-4)$
  ② $(-2)+(-5)-(-13)-(+8)$
  ③ $\left(+\frac{2}{3}\right)-\left(-\frac{1}{2}\right)+\left(-\frac{1}{4}\right)$
  ④ $4.2-(-9.5)-10$
  ⑤ $\frac{3}{10}+\frac{1}{6}-\frac{1}{2}$

12 -3.7보다 $\frac{3}{2}$만큼 큰 수를 a, $\frac{3}{5}$보다 -1.2만큼 작은 수를 b라 할 때, $b-a$의 값을 구하시오.

13 어떤 유리수에서 $\frac{3}{7}$을 빼야 할 것을 잘못하여 더했더니 그 결과가 $\frac{3}{4}$이 되었다. 이때 바르게 계산한 답을 구하시오.

14 두 정수 a, b에 대하여 $|a|=3$, $|b|=6$일 때, 다음 중 $a-b$의 값이 될 수 없는 것은?
  ① -9 ② -6 ③ -3
  ④ 3 ⑤ 9

04 정수와 유리수의 곱셈과 나눗셈

1 **수의 곱셈**

(1) 부호가 같은 두 수의 곱셈: 두 수의 절댓값의 곱에 양의 부호 +를 붙인다.

(2) 부호가 다른 두 수의 곱셈: 두 수의 절댓값의 곱에 음의 부호 −를 붙인다.

참고 어떤 수와 0의 곱은 항상 0이다. 예 $2 \times 0 = 0$

2 **곱셈의 연산법칙**: 세 수 a, b, c에 대하여

(1) 곱셈의 교환법칙: $a \times b = b \times a$ (2) 곱셈의 결합법칙: $(a \times b) \times c = a \times (b \times c)$

3 **분배법칙**: 세 수 a, b, c에 대하여

$a \times (b+c) = a \times b + a \times c$, $(a+b) \times c = a \times c + b \times c$

4 **수의 나눗셈**

(1) 부호가 같은 두 수의 나눗셈: 두 수의 절댓값의 나눗셈의 몫에 양의 부호 +를 붙인다.

(2) 부호가 다른 두 수의 나눗셈: 두 수의 절댓값의 나눗셈의 몫에 음의 부호 −를 붙인다.

(3) 역수: 두 수의 곱이 1이 될 때, 한 수를 다른 수의 역수라 한다. 예 $\frac{1}{2}$의 역수는 2, -3의 역수는 $-\frac{1}{3}$이다.

(4) 역수를 이용한 나눗셈: 나누는 수를 그 수의 역수로 바꾸고, 나눗셈은 곱셈으로 고쳐서 계산한다.

5 **덧셈, 뺄셈, 곱셈, 나눗셈의 혼합 계산**

❶ 거듭제곱이 있으면 거듭제곱을 먼저 계산한다.

❷ 괄호가 있는 경우에는 (소괄호) → {중괄호} → [대괄호]의 순서로 계산한다.

❸ 곱셈과 나눗셈을 한다.

❹ 덧셈과 뺄셈을 한다.

대표 문제

15 $(-1)^{97} - (-1)^{98} - (-1)^{99} + (-1)^{100}$을 계산하시오.

16 세 수 a, b, c에 대하여 $a \times b = 3$, $a \times c = 5$일 때, $a \times (b-c)$의 값을 구하시오.

17 $-\frac{3}{11}$의 역수를 a, 0.24의 역수를 b라 할 때, $a+b$의 값을 구하시오.

18 두 수 a, b에 대하여 $a > 0$, $b < 0$일 때, 다음 중 항상 양수인 것은?

① $a+b$ ② $-a+b$ ③ $a \times b$

④ $a \div b$ ⑤ $b \div (-a)$

19 다음 중 계산 결과가 옳지 <u>않은</u> 것은?

① $(+12) \div (-4) \times (-2) = +6$

② $\left(-\frac{5}{6}\right) \div \left(+\frac{4}{3}\right) \times (-12) = +\frac{15}{2}$

③ $\left(-\frac{3}{2}\right) \times \left(+\frac{1}{3}\right) \div \left(+\frac{1}{4}\right) = -2$

④ $\left(+\frac{4}{9}\right) \div \left(-\frac{1}{3}\right) \times \left(+\frac{1}{2}\right) = -\frac{8}{3}$

⑤ $\left(-\frac{3}{7}\right) \div \left(+\frac{3}{14}\right) \div \left(+\frac{2}{5}\right) = -5$

20 $2 - \left\{ \left(\frac{5}{6}\right)^2 \div \frac{1}{2} - \left(-\frac{2}{3}\right)^2 \right\} \times (-3)$을 계산하시오.

01 정수와 유리수

1 다음은 성범이의 일기이다. 증가하거나 0보다 큰 값은 + 부호를, 감소하거나 0보다 작은 값은 − 부호를 사용하여 밑줄 친 부분을 나타낼 때, 옳지 <u>않은</u> 것은?

> 오늘은 1학기 기말고사의 마지막 날이었다. 아침 기온은 ① <u>영상 29℃</u>로 높아서 시험 보기에 더운 날씨였다. 시험을 잘 보지 못할까 봐 걱정했지만 그동안 공부를 열심히 하였더니 시험 결과가 좋았다. 어머니께서 평균 점수가 5점 이상 오르면 스마트폰을 사준다고 하셨는데 오늘 시험을 잘 보아서 평균 점수가 중간고사에 비해 ② <u>6점이나 올랐다.</u> 내가 사려는 스마트폰의 화면은 지금 가지고 있는 휴대폰의 화면보다 ③ <u>0.3인치 더 크고</u> 무게는 ④ <u>80g 더 가볍다.</u> 지금까지 시험 공부를 열심히 하느라 몸무게가 ⑤ <u>3kg이나 줄어</u> 어머니께서 걱정을 많이 하시지만, 스마트폰을 가질 수 있어 행복하다.

① $+29℃$ 　　② $+6$점 　　③ -0.3인치

④ $-80\,g$ 　　⑤ $-3\,kg$

2 다음 수에 대한 설명으로 옳지 <u>않은</u> 것은?

$$-5, \quad \frac{9}{2}, \quad -4.7, \quad 0, \quad 11, \quad +\frac{6}{3}, \quad -\frac{3}{7}$$

① 양수는 3개이다.
② 음수는 3개이다.
③ 정수는 3개이다.
④ 유리수는 7개이다.
⑤ 정수가 아닌 유리수는 3개이다.

02 절댓값 / 수의 대소 관계

3 다음 설명 중 옳은 것은?

① 가장 작은 양의 정수는 없다.
② 유리수는 양수와 음수로 나눌 수 있다.
③ 두 수에서는 절댓값이 큰 수가 더 크다.
④ 0은 정수이지만 유리수는 아니다.
⑤ 절댓값이 3 이하인 정수는 7개이다.

4 두 정수 a, b에 대하여 $|a|+|b|=3$을 만족시키는 a, b의 값을 (a, b)로 나타낼 때, (a, b)의 개수를 구하시오. (단, $a<b$)

5 ⭐중요 다음 조건을 모두 만족시키는 두 정수 a, b의 값을 각각 구하시오.

> ┤ 조건 ├
> (개) $|a|=2|b|$
> (내) $a<0<b$
> (대) 수직선 위에서 a와 b에 대응하는 두 점 사이의 거리는 15이다.

6 오른쪽 그림과 같은 도로가 있다. 입구로 들어간 재원이가 각 갈림길에서 표지판에 적힌 수가 큰 쪽으로 갈 때, A, B, C, D 중 어느 곳으로 나오는지 말하시오.

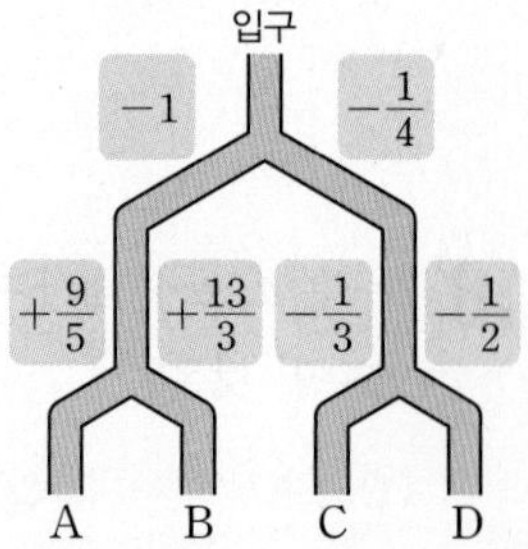

7 두 부등식 $2 \leq |x| < 6$, $-5 < x < 3$을 모두 만족시키는 정수 x의 값 중 가장 큰 수를 a, 가장 작은 수를 b라 할 때, a, b의 값을 각각 구하시오.

^{중요}
8 두 유리수 $\dfrac{1}{3}$과 $\dfrac{4}{5}$ 사이에 있는 유리수 중에서 분모가 15인 기약분수의 개수는?

① 2개   ② 3개   ③ 4개
④ 5개   ⑤ 6개

교과서 속 심화
9 수직선 위에서 서로 다른 네 정수 a, b, c, d를 나타내는 네 점 A, B, C, D가 다음 조건을 모두 만족시킬 때, a, b, c, d의 대소 관계를 부등호를 사용하여 바르게 나타낸 것은?

┌─ 조건 ─┐
(가) 두 점 A, C는 절댓값이 같고 부호가 서로 반대이다.
(나) 점 A는 점 D보다 왼쪽에 있다.
(다) 점 B는 0을 나타내는 점에 가장 가까이 있다.
(라) 두 점 A, D는 0을 나타내는 점의 오른쪽에 있다.
└────────┘

① $a < d < c < b$ ② $a < c < b < d$
③ $c < b < a < d$ ④ $c < b < d < a$
⑤ $d < a < c < b$

03 정수와 유리수의 덧셈과 뺄셈

10 다음 조건을 모두 만족시키는 세 수 a, b, c에 대하여 $a+b+c$의 값을 구하시오.

┌─ 조건 ─┐
(가) a는 $-\dfrac{17}{6}$에 가장 가까운 정수
(나) b는 $-\dfrac{3}{8}$보다 4만큼 큰 수
(다) c는 -3보다 $-\dfrac{3}{2}$만큼 작은 수
└────────┘

^{중요}
11 $|x|=12$, $|y|=7$인 두 수 x, y에 대하여 $x-y$의 값 중 가장 큰 값을 M, 가장 작은 값을 m이라 할 때, $M-m$의 값을 구하시오.

12 서로 다른 두 유리수 a, b에 대하여
$a \triangle b = (a, b$ 중 절댓값이 작은 수$)$,
$a \triangledown b = (a, b$ 중 절댓값이 큰 수$)$
로 약속할 때, $\left\{\left(\dfrac{1}{3}-\dfrac{1}{2}\right)\triangledown\dfrac{1}{5}\right\}\triangle\left(\dfrac{1}{6}-\dfrac{1}{4}\right)$의 값은?

① $-\dfrac{1}{5}$ ② $-\dfrac{1}{6}$ ③ $-\dfrac{1}{12}$
④ $\dfrac{1}{12}$ ⑤ $\dfrac{1}{5}$

13 $[x]$는 x보다 크지 않은 최대의 정수를 나타낼 때, $[3.2]-[-4.6]+[-5]$의 값은?

① -7 ② -3 ③ 2
④ 3   ⑤ 8

14 1부터 2018까지의 자연수 중에서 모든 홀수의 합을 a, 모든 짝수의 합을 b라 할 때, $a-b$의 값은?

① -1009 ② -1 ③ 0
④ 1   ⑤ 1009

15 다음 식이 성립하도록 ㉠, ㉡, ㉢에 $+$, $-$ 중 알맞은 것을 쓰시오.

$(-10)㉠(+5)㉡(-3)㉢(+7)=-9$

16 다음 표는 지혜가 한 달 동안 읽은 책의 수를 지난달에 읽은 책의 수에 대한 증감으로 나타낸 것이다. 지혜가 6월에 10권의 책을 읽었다면 1월에는 몇 권을 읽었는지 구하시오.

월	2	3	4	5	6
증감(권)	$+3$	-1	$+2$	$+1$	$+2$

17 오른쪽 그림과 같은 전개도를 접어 정육면체를 만들었을 때, 마주 보는 면에 적힌 두 수의 합이 항상 -1이 되도록 하는 a, b, c에 대하여 $a+b-c$의 값을 구하시오.

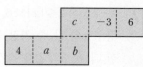

18 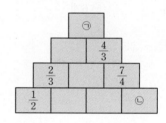와 같이 이웃하는 두 수의 합을 바로 위쪽 칸에 쓸 때, ㉠, ㉡에 알맞은 수를 각각 구하시오.

19 다음 그림에서 가로, 세로에 있는 정수들은 각 줄마다 일정한 수만큼 증가하거나 감소하는 규칙으로 배열된다고 한다. 이때 $A-B+C-D$의 값은?

A	6		
		B	
		0	C
	3	2	
		6	D

① 2   ② 6   ③ 10
④ 16   ⑤ 18

20 자연수 n에 대하여 $\dfrac{1}{n\times(n+1)}=\dfrac{1}{n}-\dfrac{1}{n+1}$로 나타 낼 수 있다. 예를 들어 $\dfrac{1}{1\times2}=\dfrac{1}{1}-\dfrac{1}{2}$, $\dfrac{1}{2\times3}=\dfrac{1}{2}-\dfrac{1}{3}$ 이다. 이를 이용하여 다음을 계산하시오.

$$\dfrac{1}{2}+\dfrac{1}{6}+\dfrac{1}{12}+\dfrac{1}{20}+\dfrac{1}{30}$$

04 정수와 유리수의 곱셈과 나눗셈

21 수직선 위에 다섯 개의 점 A, B, C, D, E가 같은 간 격으로 왼쪽부터 차례로 배열되어 있다. 점 A, B, C, D, E에 대응하는 수를 각각 $-\dfrac{5}{9}$, a, b, $\dfrac{1}{9}$, c라 할 때, $a-b+c$의 값을 구하시오.

22 서로 다른 세 개의 음의 정수가 있다. 세 정수의 곱이 -12이고 한 정수의 절댓값이 2일 때, 세 정수의 합은?

① -12 ② -11 ③ -10

④ -9 ⑤ -8

23 두 정수 a, b에 대하여 $a\times|b-a|=-4$가 성립한다. $a+b$의 값 중 가장 큰 수를 M, 가장 작은 수를 m이 라 할 때, M, m의 값을 각각 구하시오.

교과서 속 심화

24 m이 홀수일 때, $(-1)^{m+1}+(-1)^{2m}-(-1)^{2m+3}$을 계산하면?

① -3 ② -2 ③ -1

④ 2 ⑤ 3

25 $\dfrac{468}{1756\times234-756\times234}$ 을 계산하시오.

중요

26 오른쪽 그림과 같은 정육면체에서 마주 보는 면에 적힌 두 수는 서로 역수이다. 보이지 않는 세 면에 적 힌 수의 곱은?

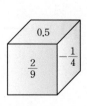

① -36 ② $-\dfrac{9}{4}$ ③ $\dfrac{4}{9}$

④ 18 ⑤ 36

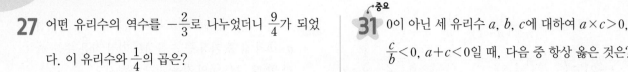
27 어떤 유리수의 역수를 $-\dfrac{2}{3}$로 나누었더니 $\dfrac{9}{4}$가 되었다. 이 유리수와 $\dfrac{1}{4}$의 곱은?

① $-\dfrac{3}{2}$　　② $-\dfrac{2}{3}$　　③ $-\dfrac{1}{6}$

④ $\dfrac{1}{6}$　　⑤ $\dfrac{3}{2}$

28 네 유리수 $\dfrac{5}{4}$, -4, $-\dfrac{8}{3}$, $-\dfrac{2}{3}$ 중에서 서로 다른 세 수를 뽑아 곱한 값 중 가장 큰 수를 M, 가장 작은 수를 N이라 할 때, $M \div N$의 값을 구하시오.

29 다음 식을 계산하면?

$$
(-1) \div (+2) \div \left(-\dfrac{3}{2}\right) \div \left(+\dfrac{4}{3}\right)
$$
$$
\div \cdots \div \left(-\dfrac{9}{8}\right) \div \left(+\dfrac{10}{9}\right)
$$

① $-\dfrac{10}{3}$　　② $-\dfrac{1}{5}$　　③ $-\dfrac{1}{10}$

④ $\dfrac{1}{10}$　　⑤ $\dfrac{1}{5}$

30 $1 - \dfrac{1}{2 - \dfrac{1}{2 - \dfrac{1}{2 - \dfrac{1}{2}}}}$ 을 계산하면?

① $\dfrac{1}{5}$　　② $\dfrac{1}{4}$　　③ $\dfrac{1}{3}$

④ $\dfrac{1}{2}$　　⑤ 1

31 0이 아닌 세 유리수 a, b, c에 대하여 $a \times c > 0$, $\dfrac{c}{b} < 0$, $a + c < 0$일 때, 다음 중 항상 옳은 것은?

① $\dfrac{b}{a} > 0$　　② $a - b < 0$　　③ $c - b > 0$

④ $\dfrac{b - c}{a} > 0$　　⑤ $a \times b \times c < 0$

32 두 유리수 a, b에 대하여 $0 < a < 1$, $-1 < b < 0$일 때, 다음 중 항상 옳은 것은?

① $a - b < 0$　　② $\dfrac{1}{a} < \dfrac{1}{b}$　　③ $a^2 > a$

④ $b > \dfrac{1}{b}$　　⑤ $\dfrac{b}{a} > a - b$

33 어떤 정수에 -2를 더하고 3을 곱해야 할 것을 잘못하여 3을 더하고 -2를 곱했더니 그 결과가 4가 되었다. 이때 바르게 계산한 결과는?

① -21　　② -15　　③ -6
④ 0　　⑤ 6

34 다음을 만족시키는 네 유리수 A, B, C, D에 대하여 $A + B + C + D$의 값을 구하시오.

$$
-\dfrac{3}{4} \xrightarrow{\div \frac{1}{A}} \dfrac{3}{2} \xrightarrow{\times B} C \xrightarrow{\div \frac{3}{10}} D \xrightarrow{+\left(-\frac{5}{3}\right)} -\dfrac{10}{9}
$$

35 다음 □ 안에 알맞은 수를 구하시오.

$$(-2)^3 \div \left(-\frac{2}{3}\right)^2 \times \square - \frac{1}{2} \div \left(-\frac{3}{2}\right) \times \frac{21}{4} = 1$$

36 $<x>$는 x보다 큰 최소의 정수를 나타낸다고 하자. 두 수 A, B가 다음과 같을 때, $<A+B>$의 값을 구하시오.

$$A = 6 \times \left(-\frac{3}{5}\right)^2 \times \left(-\frac{5}{9}\right)$$

$$B = \frac{3}{10} \times \left\{ \frac{1}{2} - \left(-\frac{3}{2}\right) + \left(-\frac{3}{2}\right)^2 \div \frac{9}{2} \right\}$$

37 민주와 재영이는 다음과 같은 규칙으로 가위바위보를 하여 계단 오르기 놀이를 하였다. 처음 위치를 0으로 하고 한 칸 올라가는 것을 +1, 한 칸 내려가는 것을 −1이라 하자. 가위바위보를 10번 하여 민주가 5번 이기고 2번 비겼을 때, 민주의 위치는 재영이의 위치보다 몇 칸만큼 위 또는 아래에 있는가?

- 이기면 3칸 위로 올라간다.
- 지면 2칸 아래로 내려간다.
- 비기면 두 사람이 모두 1칸씩 아래로 내려간다.

① 10칸 위   ② 4칸 위   ③ 2칸 위
④ 3칸 아래   ⑤ 4칸 아래

38 다음 그림과 같은 사다리를 이용하여 수의 계산을 하려고 한다. 예를 들어 ㉮를 선택하여 사다리를 타고 내려가면서 쓰여진 순서대로 계산하면 $\{6 \times (-2) + 9\} \div 3 = -1$이다.

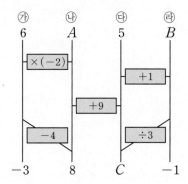

이와 같은 방법으로 계산할 때, $A+B+C$의 값을 구하시오.

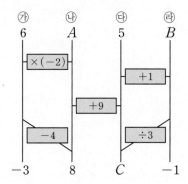

교과서 속 심화

39 다음과 같이 어떤 수를 입력하면 A, B, C의 과정을 거쳐 계산되는 프로그램이 있다. 이 프로그램에 −7을 입력하여 나온 결과를 구하시오.

A: 입력된 수를 $\frac{2}{3}$로 나눈 후 $\frac{1}{2}$을 더한다.

B: A의 결과에서 −5를 뺀 후 $\frac{3}{10}$을 곱한다.

C: B의 결과에 4를 더한 후 $\frac{5}{4}$로 나눈다.

01 1부터 6까지의 자연수가 각각 적혀 있는 6장의 카드에서 한꺼번에 카드 두 장을 뽑을 때, 그 카드에 적힌 수를 차례로 a, b라 하자. 이때 $\dfrac{b}{a}$가 0과 1 사이의 기약분수인 경우는 모두 몇 가지인가?

① 8가지　　　　② 9가지　　　　③ 10가지
④ 11가지　　　　⑤ 12가지

02 두 정수 a, b에 대하여 a는 b보다 12만큼 크고 b의 절댓값은 a의 절댓값보다 4만큼 클 때, $a+b$의 값을 구하시오.

03 $[x]$는 x보다 크지 않은 최대의 정수를 나타낸다. $\left[\dfrac{a}{14}\right]=1$을 만족시키는 기약분수 $\dfrac{a}{14}$에 대하여 a의 값 중 가장 큰 수를 M, 가장 작은 수를 m이라 할 때, $\dfrac{M}{m}$의 값을 구하시오.

TOP
04 0이 아닌 세 정수 a, b, c가 다음 조건을 모두 만족시킬 때, $|a|-|b|+|c|-|a+c|-|a+b|+|b-c|$의 값을 구하시오.

┤ 조건 ├
㈎ 세 정수 중에서 양의 정수는 b뿐이다.
㈏ 세 정수의 합은 -2이다.
㈐ $|a|<|b|<|c|$

05 다음과 같이 정수를 규칙적으로 배열하였을 때, 23번째에 오는 수를 a, 50번째에 오는 수를 b 라 하자. 이때 $a+b$의 값은?

$-7,$	$-4,$	$-3,$	$-2,$	$1,$	$0,$	$5,$	$2,$	$\cdots$

① 73　　　　　　　　② 77　　　　　　　　③ 81

④ 85　　　　　　　　⑤ 89

06 오른쪽 표의 빈칸에는 보기의 수들이 각각 들어가고 가로, 세로, 대각선에 있는 세 수의 합이 모두 같을 때, A, B의 값을 각각 구하시오.

┤ 보기 ├

$$-\frac{1}{2}, \quad -\frac{1}{4}, \quad 0, \quad \frac{1}{2}, \quad \frac{3}{4}, \quad 1$$

$-\dfrac{3}{4}$	A	
		B
$\dfrac{1}{4}$	-1	

07 서로 다른 네 정수 a, b, c, d가 $(9-a)\times(9-b)\times(9-c)\times(9-d)=4$를 만족시킬 때, $a+b+c+d$의 값을 구하시오.

08 0이 아닌 세 유리수 a, b, c가 $a>b>c$, $\dfrac{a}{b}<0$, $a+b>0$, $a+c<0$을 만족시킬 때, 세 수 $\dfrac{1}{|a|}, \dfrac{1}{|b|}, \dfrac{1}{|c|}$ 을 큰 수부터 차례로 나열하시오.

1~2 서술형 완성하기

모든 문제는 풀이 과정을 자세히 서술한 후 답을 쓰세요.

1 가로의 길이가 72 cm, 세로의 길이가 48 cm, 높이가 36 cm인 직육면체 모양의 빵을 가능한 한 큰 정육면체 모양으로 남는 부분이 없이 같은 크기로 자르려고 한다. 잘라서 만든 정육면체 모양의 빵 한 개의 가격을 1000원으로 하여 모두 팔았을 때, 총 판매 금액을 구하시오.

풀이 과정

답

2 세 자리의 자연수 A, B의 최소공배수가 840, 최대공약수가 24일 때, $B-A$의 값을 구하시오. (단, $A<B$)

풀이 과정

답

3 두 수 a, b가 아래 조건을 모두 만족시킬 때, 다음 물음에 답하시오.

조건
㈎ 두 수 a, b의 절댓값이 같다.
㈏ a는 b보다 20만큼 작다.

(1) a, b의 값을 각각 구하시오.
(2) $3 \times a + b$의 값을 구하시오.

풀이 과정

(1)

(2)

답 (1)　　　　　　　　(2)

4 다음 수직선 위의 네 점 A, B, C, D 사이의 간격은 일정하다. 두 점 B, C에 대응하는 수를 각각 p, q라 할 때, $p+q$의 값을 구하시오.

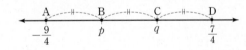

풀이 과정

답

5 세 정수 a, b, c에 대하여 $a \times b < 0$, $a \times b \times c > 0$, $a < c$일 때, a, b, c의 부호를 각각 정하시오.

풀이 과정

답

6 아래와 같이 화살표의 순서대로 진행되는 계산이 있다. 다음 물음에 답하시오.

$$\frac{1}{6} \xrightarrow{\;-\;} 2 \xrightarrow{\;-\;} -\frac{3}{2} \xrightarrow{\;\div\;} \left(-\frac{2}{3}\right)^2 \xrightarrow{\;+\;} 3 \xrightarrow{\;\times\;} -\frac{1}{12}$$

(1) 계산 순서에 알맞은 식을 세우시오.
(2) (1)에서 세운 식을 계산하시오.

풀이 과정

(1)

(2)

답 (1)   (2)

7 다음 식을 만족시키는 가장 작은 세 자연수 a, b, c에 대하여 $a - b + c$의 값을 구하시오.

$$54 \times a = 84 \times b = c^2$$

풀이 과정

답

8 두 정수 x, y가 $|x| - |y| = 1$, $1 \le |y| \le 3$을 만족시킨다. $|x + y|$의 값 중 가장 큰 수를 M, 가장 작은 수를 m이라 할 때, $M + m$의 값을 구하시오.

풀이 과정

답

3 문자의 사용과 식의 계산

개념+ ^{대표} 문제 확인하기

● 정답과 해설 15쪽

01 문자의 사용 / 식의 값

1 문자를 사용한 식: 문자를 사용하면 수량이나 수량 사이의 관계를 간단한 식으로 나타낼 수 있다.

2 곱셈과 나눗셈 기호의 생략

(1) **곱셈 기호의 생략**: 수와 문자, 문자와 문자의 곱에서는 곱셈 기호 $\times$를 생략한다.

　① 수와 문자의 곱에서는 수를 문자의 앞에 쓴다.　　예 $3 \times a = 3a$, $a \times (-3) = -3a$

　② 1 또는 -1과 문자의 곱에서는 1을 생략한다.　　예 $1 \times a = a$, $a \times (-1) = -a$

　③ 문자와 문자의 곱에서는 보통 알파벳 순서대로 쓴다.　예 $b \times a = ab$, $x \times z \times y = xyz$

　④ 같은 문자의 곱은 거듭제곱의 꼴로 나타낸다.　　예 $a \times a = a^2$, $x \times x \times y \times y \times y = x^2 y^3$

　　주의　・$0.1 \times a$는 $0.a$로 쓰지 않고 $0.1a$로 쓴다.
　　　　　・괄호가 있을 때는 $(x+1) \times 2 = 2(x+1)$과 같이 수를 괄호 앞에 쓴다.

(2) **나눗셈 기호의 생략**: 나눗셈 기호 $\div$를 생략하고 분수 꼴로 나타낸다.　예 $a \div b = \dfrac{a}{b}$ (단, $b \neq 0$)

　　주의　$a \div 1$은 $\dfrac{a}{1}$로 쓰지 않고 a로 쓴다.

3 식의 값

(1) **대입**: 문자를 사용한 식에서 문자에 어떤 수를 바꾸어 넣는 것

(2) **식의 값**: 문자를 사용한 식에서 문자에 어떤 수를 대입하여 계산한 결과

　　예 $x = 2$일 때, $3x - 1$의 값은 $3x - 1 = 3 \times 2 - 1 = 5$

대표 문제

1 다음 중 기호 $\times$, $\div$를 생략하여 나타낸 식으로 옳은 것을 모두 고르면? (정답 2개)

① $0.1 \times y \times y = 0.y^2$

② $x \times y \times (-x) \div 4 = -\dfrac{x^2 y}{4}$

③ $(-1) \div (b \div c) = -\dfrac{1}{bc}$

④ $x + (-5) \div y = \dfrac{x-5}{y}$

⑤ $a \div (-7) - 2 \times b = -\dfrac{a}{7} - 2b$

2 다음 중 문자를 사용하여 나타낸 식으로 옳지 <u>않은</u> 것은?

① 한 변의 길이가 $a\,$cm인 정사각형의 넓이 $\Rightarrow a^2\,$cm²

② 분속 300 m로 a분 동안 걸은 거리 $\Rightarrow 300a\,$m

③ 한 권에 x원인 공책을 30 % 할인하여 y권을 사고 8000원을 냈을 때, 거스름돈 $\Rightarrow (8000 - 0.7xy)$원

④ 30명의 학생 중 x %가 남학생일 때, 남학생 수 $\Rightarrow 30x$명

⑤ 백의 자리의 숫자가 x, 십의 자리의 숫자가 y, 일의 자리의 숫자가 z인 세 자리의 자연수 $\Rightarrow 100x + 10y + z$

3 $x = -2$일 때, 다음 중 식의 값이 가장 작은 것은?

① $\dfrac{1}{x}$　　　② $-\dfrac{1}{x^2}$　　　③ x^2

④ x^3　　　⑤ $-\dfrac{1}{x^3}$

4 $a = \dfrac{1}{3}$, $b = -\dfrac{1}{4}$, $c = \dfrac{1}{6}$일 때, $\dfrac{1}{a} + \dfrac{1}{b} - \dfrac{2}{c}$의 값을 구하시오.

5 가로의 길이가 a, 세로의 길이가 4, 높이가 b인 직육면체에 대하여 다음 물음에 답하시오.

(1) 겉넓이를 a, b를 사용한 식으로 나타내시오.

(2) $a = 6$, $b = 5$일 때, 겉넓이를 구하시오.

1 **다항식**

(1) 항: 수 또는 문자의 곱으로 이루어진 식

(2) 상수항: 문자 없이 수만으로 이루어진 항

(3) 계수: 항에서 문자에 곱한 수

(4) 다항식: 한 개 또는 두 개 이상의 항의 합으로 이루어진 식

(5) 단항식: 항이 한 개뿐인 다항식 → 단항식은 모두 다항식이다.

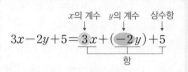

2 **일차식**

(1) 항의 차수: 어떤 항에서 곱한 문자의 개수 **예** $2x^3 = 2 \times x \times x \times x$이므로 x에 대한 차수는 3이다.

(2) 다항식의 차수: 다항식에서 차수가 가장 큰 항의 차수 **예** 다항식 $5x^2 + 3x - 2$의 차수는 2이다.

(3) 일차식: 차수가 1인 다항식 **예** $-5x$, $x+2$, $\dfrac{y}{3}\left(=\dfrac{1}{3}y\right)$

3 **일차식과 수의 곱셈, 나눗셈**

(1) (수)×(일차식), (일차식)×(수): 분배법칙을 이용하여 일차식의 각 항에 수를 곱한다.

예 $2(3x+4) = 2 \times 3x + 2 \times 4 = 6x + 8$, $(x+2y) \times 3 = x \times 3 + 2y \times 3 = 3x + 6y$

(2) (일차식)÷(수): 분배법칙을 이용하여 나누는 수의 역수를 일차식의 각 항에 곱한다.

예 $(6x-3) \div 3 = (6x-3) \times \dfrac{1}{3} = 6x \times \dfrac{1}{3} - 3 \times \dfrac{1}{3} = 2x - 1$

대표 문제

6 다음 보기 중 다항식 $-3x^2 + 4x - 1$에 대한 설명으로 옳은 것을 모두 고르시오.

┌ 보기 ├
ㄱ. 항의 개수는 3개이다.
ㄴ. 다항식의 차수는 2이다.
ㄷ. 상수항은 1이다.
ㄹ. x^2의 계수는 3이다.
ㅁ. x의 계수와 상수항의 곱은 -4이다.

7 다항식 $-\dfrac{x^2}{5} + 6x - 3$에 대하여 x^2의 계수를 a, x의 계수를 b, 상수항을 c라 할 때, $a+b+c$의 값을 구하시오.

8 다음 중 일차식인 것은?

① 7
② $\dfrac{4}{x} - 3$
③ $0 \times y + 2$

④ $x^2 + x - 1$
⑤ $4 + \dfrac{x}{5}$

9 다음 중 옳지 <u>않은</u> 것은?

① $\dfrac{1}{4}(4x-12) = x - 3$

② $-5(2x+7) = -10x - 35$

③ $(14x+35) \div (-7) = -2x - 5$

④ $\left(x - \dfrac{4}{3}y\right) \div \left(-\dfrac{1}{6}\right) = -6x + 8y$

⑤ $\left(-8x + 4y - \dfrac{8}{9}\right) \times \dfrac{3}{4} = -6x + 3y - 2$

10 $\dfrac{3}{4}(8x-16) - \left(4 - \dfrac{2}{3}y\right) \div \left(-\dfrac{2}{9}\right)$를 간단히 하면 $ax + by + c$일 때, $-a+b+c$의 값은? (단, a, b, c는 상수)

① -3
② $-\dfrac{3}{2}$
③ $\dfrac{5}{2}$

④ $\dfrac{9}{2}$
⑤ 6

1 동류항의 계산

(1) **동류항**: 문자가 같고, 차수도 같은 항

 참고 상수항끼리는 항상 동류항이다.

(2) **동류항의 덧셈, 뺄셈**: 분배법칙을 이용하여 동류항의 계수끼리 더하거나 뺀 후 문자 앞에 쓴다.

 예 $7a+2a=(7+2)a=9a$, $7a-2a=(7-2)a=5a$

2 일차식의 덧셈, 뺄셈

❶ 괄호가 있으면 분배법칙을 이용하여 괄호를 푼다.

❷ 동류항끼리 모아서 간단히 한다.

 주의 괄호 앞에 −가 있으면 괄호 안의 모든 항의 부호를 반대로 바꾸어서 괄호를 푼다.

 예 $(2x+1)-3(x+3)=2x+1-3x-9$ ← 괄호 풀기

$\qquad\qquad\qquad\quad =2x-3x+1-9$ ← 동류항끼리 모으기

$\qquad\qquad\qquad\quad =-x-8$ ← 간단히 하기

대표 문제

11 다음 중 동류항끼리 짝 지어진 것은?

① $3b$, b^2　　② $2x^2$, $\dfrac{1}{2}x$　　③ $\dfrac{5}{x}$, $5y$

④ $-4x$, $\dfrac{x}{5}$　　⑤ $-2b$, $0.2a$

12 $a(3x-1)-(ax-5)$를 간단히 하면 x의 계수는 -1, 상수항은 b이다. 이때 $a-b$의 값은? (단, a는 상수)

① -8　　　② -6　　　③ -2

④ 5　　　　⑤ 9

13 $\dfrac{5x-2}{6}-\dfrac{2x-1}{3}+\dfrac{7-3x}{4}$를 간단히 하면?

① $-\dfrac{7}{12}x-\dfrac{11}{12}$　　② $-\dfrac{7}{12}x+\dfrac{7}{4}$

③ $\dfrac{7}{12}x-1$　　　　　　④ $\dfrac{7}{12}x+\dfrac{5}{6}$

⑤ $\dfrac{7}{12}x+\dfrac{5}{3}$

14 다음 식을 간단히 하시오.

$$-6x-2[x-4y-\{5x+2y-(3x-y)\}]$$

15 $A=4x-3$, $B=-2x+1$일 때, $-3(A-2B)$를 간단히 하시오.

16 어떤 다항식에서 $-3x+4$를 빼야 할 것을 잘못하여 더했더니 $2x-\dfrac{5}{2}$가 되었다. 이때 어떤 다항식을 구하시오.

01 문자의 사용 / 식의 값

1 다음 보기 중 곱셈, 나눗셈 기호를 생략한 식으로 옳은 것을 모두 고르시오.

┤ 보기 ├

ㄱ. $a \times 2 \div b - c = \dfrac{2a}{b-c}$

ㄴ. $(a+b) \div c \times \left(-\dfrac{1}{3}\right) = -\dfrac{a+b}{3c}$

ㄷ. $(-0.1) \times c + a \times \dfrac{1}{b} = -0.c + \dfrac{a}{b}$

ㄹ. $(-1) \times x \div (y \div 3) = -\dfrac{3x}{y}$

ㅁ. $(x-1) \div y + (z+2) \times (-2)$
$= \dfrac{x-1}{y} - 2(z+2)$

2 다음 중 $a \div b \div c$와 계산 결과가 같은 식은?

① $a \times (b \div c)$ ② $a \div (b \div c)$

③ $a \div (b \times c)$ ④ $a \div b \times c$

⑤ $(a \div b) \times c$

3 정가가 15000원인 CD를 $a\%$ 할인된 가격으로 x장 샀을 때, 지불한 금액을 문자를 사용한 식으로 나타내면?

① $(15000 - ax)$원 ② $(15000 + ax)$원

③ $(15000 - 150x)a$원 ④ $(15000 - 150a)x$원

⑤ $(15000 + 150a)x$원

4 ^{중요} $a = -\dfrac{2}{3}$, $b = 2$, $c = -\dfrac{1}{2}$일 때, $\dfrac{8}{a} + b^2 - \dfrac{2}{c^3}$의 값을 구하시오.

5 오른쪽 그림과 같이 $2a$를 넣으면 $-4a^2 + 2a + 5$의 값이 나오는 상자가 있다. 이 상자에 -1을 넣었을 때, 나오는 값은?

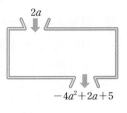

① -3 ② -1 ③ 0

④ 1 ⑤ 3

^{교과서 속 심화}

6 공기 중에서 소리의 속력은 기온이 $t\,°\mathrm{C}$일 때 초속 $(331 + 0.6t)\,\mathrm{m}$라 한다. 기온이 $20\,°\mathrm{C}$일 때, 번개가 치고 4초 후에 천둥소리를 들었다면 번개가 친 곳까지의 거리는 몇 m인지 구하시오.

02 다항식과 일차식 / 일차식과 수의 곱셈, 나눗셈

7 x의 계수가 -2인 x에 대한 일차식이 있다. 이 일차식은 $x = 3$일 때 식의 값이 a이고, $x = -5$일 때 식의 값이 b이다. 이때 $a - b$의 값을 구하시오.

8 다음 그림과 같이 가로, 세로의 길이가 각각 $x\,\mathrm{m}$, $y\,\mathrm{m}$인 직사각형 모양의 공원 안쪽으로 너비가 $2\,\mathrm{m}$, $1\,\mathrm{m}$인 길을 만들고 나머지 땅은 화단을 만들었다. 화단의 둘레의 길이를 x, y를 사용한 식으로 나타내시오.

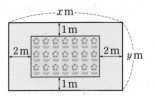

03 일차식의 덧셈, 뺄셈

9 다항식 $4x^2+2x-5+ax+ax^2+bx-1$을 간단히 하였을 때, x에 대한 일차식이 되도록 하는 상수 a, b의 조건은?

① $a=-4$
② $b=2$
③ $a=-4$, $b=2$
④ $a=-4$, $b\neq2$
⑤ $a\neq-4$, $b=2$

10 $\dfrac{ax+b}{3}-\dfrac{ax-b}{2}$를 간단히 하면 x의 계수는 -2, 상수항은 10이다. 이때 $b-a$의 값은? (단, a, b는 상수)

① -24
② -12
③ 0
④ 12
⑤ 24

11 다음 식을 간단히 하였을 때, x의 계수를 a, y의 계수를 b, 상수항을 c라 하자. 이때 $a-b+c$의 값을 구하시오.

$$2x-\left[4x-2\{5-(3x-y)\}-\frac{3}{2}\left(-4y+\frac{8}{3}x\right)\right]$$

교과서 속 심화

12 n이 짝수일 때,
$(-1)^{n+2}(3a-2b)-(-1)^{n+1}(-a+5b)$를 간단히 하면?

① $2a-7b$
② $2a+3b$
③ $4a-7b$
④ $4a+3b$
⑤ $5a-7b$

13 두 수 a, b에 대하여 $a*b=-3a+b$, $a\diamond b=\dfrac{1}{2}a-4b$로 나타낼 때, $2x*(6x\diamond y)$를 간단히 하시오.

14 어느 반 학생 20명이 수학 시험을 본 결과 10점이 a명, 9점이 b명이고 나머지는 모두 8점이었다. 이때 전체 학생의 수학 성적의 평균을 a, b를 사용한 식으로 나타내면?

① $\dfrac{18a+17b}{3}$점
② $\dfrac{2a+b+160}{3}$점
③ $\dfrac{18a+17b}{20}$점
④ $\dfrac{2a+b+160}{20}$점
⑤ $\dfrac{18a+17b+160}{20}$점

중요

15 오른쪽 그림과 같은 직사각형에서 색칠한 삼각형의 넓이를 x를 사용한 식으로 나타내시오.

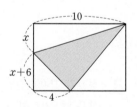

16 오른쪽 그림과 같은 도형의 넓이를 a를 사용한 식으로 나타낼 때, a의 계수를 구하시오.

17 $A=2x-\dfrac{1}{3}$, $B=5x+2$일 때, $\dfrac{3A-B}{2}-\dfrac{6A-4B}{3}$ 를 간단히 하면?

① $3x+\dfrac{4}{3}$ 　　　　② $3x+\dfrac{5}{3}$

③ $3x+\dfrac{11}{6}$ 　　　　④ $\dfrac{19}{6}x+\dfrac{11}{6}$

⑤ $\dfrac{10}{3}x+\dfrac{11}{6}$

18 세 유리수 a, b, c에 대하여 $a-b-c=-5$이고 $A=a-b$, $B=-b-c$, $C=c-a$일 때, $A+B-C$의 값은?

① -10 　　② -5 　　③ 0

④ 5 　　　⑤ 10

19 $x:y=5:1$일 때, $\dfrac{x}{x+y}-\dfrac{y}{x-y}$의 값을 구하시오.

20 $\dfrac{1}{a}+\dfrac{1}{b}=4$일 때, $\dfrac{2a-3ab+2b}{-2ab}$의 값을 구하시오.

(단, $a\neq0$, $b\neq0$)

21 $4x-1$에서 어떤 다항식 A를 뺐더니 $-x+5$가 되었고, 어떤 다항식 B에 $-5x+3$을 더했더니 $4x-9$가 되었다. 이때 $-2A+3B$를 간단히 하시오.

22 다음 그림에서 가로, 세로, 대각선에 놓인 세 일차식의 합이 모두 같을 때, $2A+B$를 간단히 하시오.

$2x-2$		
$-7x+2$	A	$5x+2$
$2x+6$		B

23 다음 조건을 모두 만족시키는 두 다항식 A, B에 대하여 $A+2B$를 간단히 하시오.

> ┤ 조건 ├
> (가) 다항식 A는 x의 계수가 -3인 일차식이다.
> (나) 다항식 B는 상수항이 $-\dfrac{3}{2}$인 일차식이다.
> (다) $A-B=-5x+\dfrac{13}{2}$

24 어떤 다항식에서 $-5x+3y-2$를 빼야 할 것을 잘못하여 더했더니 $2x-7y+4$가 되었다. 바르게 계산한 식의 x의 계수를 a, y의 계수를 b, 상수항을 c라 할 때, $a-b+c$의 값을 구하시오.

01 $\dfrac{1}{x}+y=1$, $x+\dfrac{1}{z}=1$일 때, xyz의 값을 구하시오. (단, $x\neq0$, $z\neq0$)

TOP
02 세 유리수 a, b, c에 대하여 $a+b+c=0$일 때, 다음 식의 값을 구하시오. (단, $abc\neq0$)

$$a\left(\frac{2}{b}+\frac{2}{c}\right)+b\left(\frac{2}{c}+\frac{2}{a}\right)+c\left(\frac{2}{a}+\frac{2}{b}\right)$$

03 두 유리수 a, b에 대하여 $a\blacktriangle b=\dfrac{3a-b}{2}-\dfrac{a-2b}{3}$, $a\blacktriangledown b=\dfrac{-2a+3b}{6}+\dfrac{a-5b}{4}$로 나타낼 때, $(a\blacktriangle 2b)-(8a\blacktriangledown 3b)$를 간단히 하시오.

04 다음 그림과 같이 검은색 바둑돌을 규칙적으로 나열할 때, [n단계]에 나열되는 검은색 바둑돌의 개수를 구하시오.

[1단계]　　[2단계]　　[3단계]　　[4단계]

05 유미는 n장의 카드를 가지고 있는데 다음과 같이 봉투에 카드를 넣었다. 이때 빨간색 봉투와 파란색 봉투에 넣은 카드의 수의 차를 n을 사용한 식으로 나타내시오.

> 빨간색 봉투에 카드 4장과 나머지 카드의 $\dfrac{3}{4}$을 넣은 후, 파란색 봉투에 카드 11장과 그 나머지 카드의 $\dfrac{5}{6}$를 넣었다.

06 어떤 사다리꼴의 윗변의 길이와 아랫변의 길이를 각각 $10\,\%$ 늘이고 높이를 $20\,\%$ 줄였을 때, 이 사다리꼴의 넓이는 처음 사다리꼴의 넓이보다 몇 $\%$ 증가 또는 감소하였는가?

① $12\,\%$ 감소   ② $12\,\%$ 증가   ③ $44\,\%$ 감소

④ $44\,\%$ 증가   ⑤ $88\,\%$ 감소

TOP
07 A 그릇에는 $x\,\%$의 설탕물 $300\,\text{g}$, B 그릇에는 $y\,\%$의 설탕물 $200\,\text{g}$이 들어 있다. A 그릇의 설탕물 $50\,\text{g}$을 B 그릇에 넣은 후, A 그릇에는 물 $100\,\text{g}$을 넣었다. 이때 A, B 두 그릇에 들어 있는 설탕물의 농도를 x, y를 사용한 식으로 각각 나타내시오.

08 무게가 다른 세 종류의 추 ○, ▢, △를 양팔 저울에 올려놓았더니 다음 그림과 같이 평형을 이루었다. 이때 ▢와 △의 무게의 비를 가장 간단한 자연수의 비로 나타내시오.

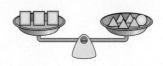

4 일차방정식

개념+ 문제 확인하기

01 방정식과 그 해 / 등식의 성질

1 등식: 등호(=)를 사용하여 수량 사이의 관계를 나타낸 식

참고 등호의 왼쪽 부분을 좌변, 오른쪽 부분을 우변이라 하고, 좌변과 우변을 통틀어 양변이라 한다.

2 방정식과 항등식

(1) **방정식**: 미지수의 값에 따라 참이 되기도 하고, 거짓이 되기도 하는 등식

① 미지수: 방정식에 있는 x, y 등의 문자

② 방정식의 해(근): 방정식을 참이 되게 하는 미지수의 값

③ 방정식을 푼다: 방정식의 해(근)를 구하는 것

(2) **항등식**: 미지수에 어떠한 값을 대입하여도 항상 참이 되는 등식

예 등식 $2x+3x=5x$는 x에 어떠한 값을 대입하여도 항상 참이므로 항등식이다.

참고 등식에서 좌변과 우변을 각각 정리하여 (좌변)=(우변)이면 항등식이다.

3 등식의 성질

(1) **등식의 성질**: $a=b$이면

① $a+c=b+c$ ② $a-c=b-c$

③ $ac=bc$ ④ $\dfrac{a}{c}=\dfrac{b}{c}$ (단, $c\neq0$) ← 0이 아닌 수로만 나눌 수 있다.

(2) 등식의 성질을 이용하여 $x=(수)$의 꼴로 고쳐서 방정식의 해를 구할 수 있다.

대표 문제

1 다음 문장을 등식으로 나타내시오.

> 어떤 수 x에서 3을 뺀 수의 2배는 x의 4배보다 13이 크다.

2 다음 중 [ ] 안의 수가 주어진 방정식의 해인 것은?

① $x-3=2(x-2)$ $[-1]$

② $2x-9=7x$ $[1]$

③ $12x+1=1$ $[0]$

④ $5(x-1)-3=7$ $[-3]$

⑤ $\dfrac{1}{2}(x-1)=3-x$ $[6]$

3 다음 중 x의 값에 관계없이 항상 참이 되는 등식은?

① $\dfrac{x}{4}=1$ ② $6x=-6x$

③ $x-3=2x+4-3x$ ④ $-2(2x+1)=4x-2$

⑤ $3(2-4x)=-12x+6$

4 다음 중 옳은 것은?

① $a=b$이면 $5a=-5b$이다.

② $a=b$이면 $\dfrac{a}{c}=\dfrac{b}{c}$이다.

③ $\dfrac{a}{2}=\dfrac{b}{3}$이면 $2a=3b$이다.

④ $3a-1=2b-3$이면 $\dfrac{a}{2}-\dfrac{1}{6}=\dfrac{b}{3}-\dfrac{1}{2}$이다.

⑤ $a=2b$이면 $a-2=2(b-2)$이다.

5 다음 중 아래 그림에서 알 수 있는 등식의 성질을 이용하여 방정식을 푼 것은?

① $\dfrac{1}{3}x=2$ ⇨ $x=6$ ② $3x=-15$ ⇨ $x=-5$

③ $x+7=3$ ⇨ $x=-4$ ④ $0.2x=0.8$ ⇨ $x=4$

⑤ $4x-2=8$ ⇨ $x=\dfrac{5}{2}$

1 **이항**: 등식의 성질을 이용하여 등식의 한 변에 있는 항을 그 항의 부호를 바꾸어 다른 변으로 옮기는 것

참고 이항은 '등식의 양변에 같은 수를 더하거나 양변에서 같은 수를 빼어도 등식은 성립한다.'는 등식의 성질을 이용한 것이다.

2 **일차방정식**: 등식의 모든 항을 좌변으로 이항하여 정리한 식이 (일차식)$=0$의 꼴로 나타나는 방정식

참고 x에 대한 일차방정식은 $ax+b=0(a\neq0)$의 꼴이다.

3 **일차방정식의 풀이**
❶ 괄호가 있으면 분배법칙을 이용하여 괄호를 푼다.
❷ 일차항은 좌변으로, 상수항은 우변으로 각각 이항하여 정리한다.
❸ 양변을 x의 계수로 나누어 $x=$(수)의 꼴로 나타낸다.
❹ 구한 해가 일차방정식을 참이 되게 하는지 확인한다.

대표 문제

6 다음 보기 중 일차방정식을 모두 고르시오.

┌ 보기 ┐
ㄱ. $3x+6=3(x+1)$　　ㄴ. $5x-2$
ㄷ. $2(2-3x)=4x$　　ㄹ. $-6x=0$
ㅁ. $2x+5<x+4$　　ㅂ. $2x^2-4=2x^2-3x$

7 방정식 $ax-4=3x+b$가 x에 대한 일차방정식이 되기 위한 조건은? (단, a, b는 상수)

① $a=3$
② $a\neq3$
③ $a=3$, $b=-4$
④ $b\neq-4$
⑤ $a=3$, $b\neq-4$

8 다음 일차방정식 중 해가 나머지 넷과 <u>다른</u> 하나는?

① $2x+5=-x-4$
② $x+7=2x+10$
③ $4x-(2-x)=-17$
④ $3(x-4)=x-6$
⑤ $5(x+1)=2(-2+x)$

9 일차방정식 $7-\{4-(3x+2)\}=2(6-x)$를 푸시오.

10 x에 대한 일차방정식 $5-ax=3(2x-1)$의 해가 $x=2$일 때, 상수 a에 대하여 a^2-2a+4의 값은?

① -8
② -4
③ 10
④ 12
⑤ 15

11 x에 대한 일차방정식 $4x-(x-a)=12$의 해가 자연수가 되도록 하는 자연수 a의 개수는?

① 2개
② 3개
③ 4개
④ 5개
⑤ 6개

03 복잡한 일차방정식의 풀이

계수가 소수 또는 분수인 일차방정식은 양변에 적당한 수를 곱하여 계수를 모두 정수로 고쳐서 푼다.

(1) 계수가 소수인 경우: 양변에 10의 거듭제곱을 곱한다.
(2) 계수가 분수인 경우: 양변에 분모의 최소공배수를 곱한다.

주의 양변에 적당한 수를 곱할 때는 모든 항에 빠짐없이 곱해야 한다.

예 $\cdot$ $0.2x-0.5=1$의 양변에 10을 곱하면

$$0.2x\times10-0.5\times10=1\times10 \Rightarrow 2x-5=10$$

$\cdot$ $\dfrac{1}{2}x+3=\dfrac{1}{4}$의 양변에 분모 2, 4의 최소공배수 4를 곱하면

$$\frac{1}{2}x\times4+3\times4=\frac{1}{4}\times4 \Rightarrow 2x+12=1$$

개념 더하기

■ **절댓값 기호를 포함하는 방정식**

$|x-a|=b\,(b\geq0)$이면
$x-a=b$ 또는 $x-a=-b$
$\therefore x=a+b$ 또는 $x=a-b$

■ **해가 특수한 경우**

$ax=b\,(a,\,b$는 상수$)$에서
(1) 해가 무수히 많을 조건
$\Rightarrow a=0,\ b=0$
(2) 해가 없을 조건
$\Rightarrow a=0,\ b\neq0$

대표 문제

12 일차방정식 $0.5x=\dfrac{2x+1}{3}-1$을 풀면?

① $x=-3$ ② $x=-2$ ③ $x=3$

④ $x=4$ ⑤ $x=6$

13 비례식 $\dfrac{x+3}{5}:2=(x-4):3$을 만족시키는 x의 값은?

① 5 ② 6 ③ 7

④ 8 ⑤ 9

14 다음 x에 대한 두 일차방정식의 해가 서로 같을 때, 상수 a의 값을 구하시오.

$$5(x-3)=2x-18$$
$$\frac{a(x+2)}{3}-\frac{2-ax}{4}=\frac{1}{2}$$

15 x에 대한 일차방정식 $0.3-\dfrac{x-5}{2}=1.5(ax-4.8)$을 푸는데 상수 a의 부호를 반대로 보고 풀었더니 해가 $x=2$이었다. 이때 처음 일차방정식의 해를 구하시오.

개념 더하기

16 방정식 $|x-6|=4$를 푸시오.

개념 더하기

17 등식 $ax-4(x+a)=6$을 만족시키는 x의 값은 없고 등식 $-3(x+2)=-6+bx$를 만족시키는 x의 값은 무수히 많을 때, $a+b$의 값은? (단, a, b는 상수)

① -3 ② -1 ③ 1

④ 3 ⑤ 4

1 일차방정식의 활용 문제 풀이

❶ 문제의 뜻을 이해하고 구하려는 값을 미지수로 놓는다.

❷ 문제의 뜻에 맞게 일차방정식을 세운다.

❸ 일차방정식을 푼다.

❹ 구한 해가 문제의 뜻에 맞는지 확인한다.

참고 문제의 답을 구할 때, 반드시 단위를 쓴다.

2 수에 대한 문제

(1) 연속하는 세 홀수(짝수)는 $x-2$, x, $x+2$ 또는 x, $x+2$, $x+4$로 놓는다.

(2) 십의 자리의 숫자가 x, 일의 자리의 숫자가 y인 두 자리의 자연수 ➡ $10x+y$

3 일에 대한 문제

전체 일의 양을 1로 놓고, 각자가 일정한 시간 동안 할 수 있는 일의 양을 구한 후 식을 세운다.

예 어떤 일을 A가 완성하는 데 x일이 걸렸다.

➡ 전체 일의 양을 1이라 하면 x일 동안 1을 완성하므로 A가 1일 동안 하는 일의 양은 $\dfrac{1}{x}$이다.

대표 문제

18 연속하는 세 홀수의 합이 105일 때, 세 홀수 중 가장 큰 수와 가장 작은 수의 합은?

① 66   ② 68   ③ 70

④ 72   ⑤ 74

19 십의 자리의 숫자가 8인 두 자리의 자연수가 있다. 이 자연수의 십의 자리의 숫자와 일의 자리의 숫자를 바꾼 수는 처음 수보다 36만큼 작다고 한다. 이때 처음 수를 구하시오.

20 현재 은비와 아버지의 나이의 합은 50세이다. 12년 후에 아버지의 나이가 은비의 나이의 2배보다 2세 많아질 때, 현재 은비의 나이를 구하시오.

21 학생들에게 사탕을 나누어 주려고 한다. 한 학생에게 5개씩 나누어 주면 3개가 남고, 6개씩 나누어 주면 4개가 부족하다. 이때 사탕의 개수를 구하시오.

22 한 변의 길이가 10 cm인 정사각형이 있다. 가로의 길이를 x cm만큼 늘이고, 세로의 길이를 2 cm만큼 줄였더니 넓이가 112 cm²인 직사각형이 되었다. 이때 새로운 직사각형의 가로의 길이를 구하시오.

23 어떤 문서를 컴퓨터에 입력하는 데 수지는 10시간이 걸리고 은지는 14시간이 걸린다. 이 일을 수지가 하는 도중에 은지와 교대하여 모두 12시간 만에 완성하였다. 이때 수지가 일한 시간을 구하시오.

05 일차방정식의 활용 (2)

1 **거리, 속력, 시간에 대한 문제**

$$(거리) = (속력) \times (시간), \quad (속력) = \frac{(거리)}{(시간)}, \quad (시간) = \frac{(거리)}{(속력)}$$

주의 거리, 속력, 시간의 단위가 다를 경우에는 방정식을 세우기 전에 단위를 통일해야 한다.

2 **농도에 대한 문제**

$$(소금물의 농도) = \frac{(소금의 양)}{(소금물의 양)} \times 100(\%), \quad (소금의 양) = \frac{(소금물의 농도)}{100} \times (소금물의 양)$$

참고 소금물에 물을 더 넣거나 소금물에서 물을 증발시켜도 소금의 양은 변하지 않는다.

3 **증가와 감소에 대한 문제**

(1) x가 $a \%$ 감소한 경우: (감소량)$= \dfrac{a}{100} \times x$ ➡ (감소한 후의 전체의 양)$= x - \dfrac{a}{100}x$

(2) y가 $b \%$ 증가한 경우: (증가량)$= \dfrac{b}{100} \times y$ ➡ (증가한 후의 전체의 양)$= y + \dfrac{b}{100}y$

4 **정가, 원가에 대한 문제**

$$(정가) = (원가) + (이익), \quad (실제 이익) = (판매 가격) - (원가)$$
└─ (원가)×(이익률)

참고 $a \% \Rightarrow \dfrac{a}{100}$, a할 $\Rightarrow \dfrac{a}{10}$

대표 문제

24 동진이가 같은 등산로를 왕복하는데 올라갈 때는 시속 3 km로 걷고, 내려올 때는 시속 4 km로 걸어서 모두 2시간 20분이 걸렸다. 이때 올라간 거리를 구하시오.

25 동생이 집을 출발한 지 12분 후에 형이 동생을 따라 출발하였다. 동생은 매분 50 m의 속력으로 걷고 형은 매분 170 m의 속력으로 자전거를 타고 갈 때, 형은 집을 출발한 지 몇 분 후에 동생을 만나게 되는지 구하시오.

26 6 %의 설탕물 200 g이 있다. 여기에 물 40 g을 넣은 후 몇 g의 설탕을 더 넣으면 20 %의 설탕물이 되는지 구하시오.

27 7 %의 소금물과 4 %의 소금물을 섞어서 6 %의 소금물 300 g을 만들려고 한다. 이때 섞어야 하는 7 %의 소금물의 양과 4 %의 소금물의 양의 차를 구하시오.

28 어느 중학교의 작년의 1학년 학생 수는 500명이었다. 올해에는 작년에 비해 남학생 수는 5 % 감소하고, 여학생 수는 10 % 증가하여 전체적으로 11명이 더 증가하였다. 이 학교의 올해의 여학생 수를 구하시오.

29 어떤 수첩을 원가의 25 %의 이익을 붙여 정가를 정하였는데 물건이 팔리지 않아 정가에서 300원을 할인하여 팔았더니 500원의 이익이 남았다. 이 수첩의 원가를 구하시오.

내신 5% 따라잡기

• 정답과 해설 23쪽

01 방정식과 그 해 / 등식의 성질

1 등식 $3x-8=a(x-2)-5x-b$가 모든 x의 값에 대하여 항상 참일 때, $a+b$의 값은? (단, a, b는 상수)

① -3　　② -2　　③ 0
④ 3　　⑤ 4

2 x에 대한 방정식 $4kx+3b=2ak-3x$는 k의 값에 관계없이 항상 $x=-1$을 해로 가질 때, 두 상수 a, b에 대하여 $3a-b$의 값은?

① -7　　② -6　　③ -1
④ 6　　⑤ 7

3 다음은 등식의 성질을 이용하여 방정식 $\dfrac{5x-2}{3}=6$을 푸는 과정이다. (가)~(바)에 알맞은 수들의 합을 구하시오.

$\dfrac{5x-2}{3}=6$에서

$\dfrac{5x-2}{3}\times\boxed{\text{(가)}}=6\times\boxed{\text{(가)}}$

$5x-2=\boxed{\text{(나)}}$

$5x-2+\boxed{\text{(다)}}=\boxed{\text{(나)}}+\boxed{\text{(다)}}$

$5x=\boxed{\text{(라)}}$

$\dfrac{5x}{\boxed{\text{(마)}}}=\dfrac{\boxed{\text{(라)}}}{\boxed{\text{(마)}}}$

$\therefore x=\boxed{\text{(바)}}$

02 일차방정식 / 일차방정식의 풀이

4 방정식 $4x^2-5x-(a-1)=-2ax^2-3x+6$이 x에 대한 일차방정식일 때, 이 일차방정식의 해는?
(단, a는 상수)

① $x=-2$　　② $x=-\dfrac{3}{2}$　　③ $x=-\dfrac{1}{2}$
④ $x=\dfrac{1}{2}$　　⑤ $x=1$

5 x에 대한 일차방정식 $ax-2=22+bx$의 해는 일차방정식 $4x-5=x+1$의 해의 2배이다. 이때 $a-b$의 값을 구하시오. (단, a, b는 상수)

중요
6 x에 대한 세 일차방정식 $2x-a=1$, $5bx+9=4x$, $3x-2=4(x-a)+15$의 해가 모두 같을 때, ab의 값은? (단, a, b는 상수)

① -1　　② $-\dfrac{2}{5}$　　③ $-\dfrac{1}{25}$
④ $\dfrac{1}{5}$　　⑤ 1

7 0이 아닌 두 유리수 a, b에 대하여 $a-b=3a-5b$일 때, x에 대한 일차방정식 $-4x+m=-7$의 해가 $x=\dfrac{4a-3b}{a+2b}$이다. 이때 상수 m의 값을 구하시오.

8 비례식 $1:(9-2x)=5:a$를 만족시키는 x의 값이 자연수일 때, 이를 만족시키는 모든 자연수 a의 값의 합은?

① 20　　　② 45　　　③ 50

④ 80　　　⑤ 85

교과서 속 심화

9 다음 그림에서 ☐ 안의 식은 바로 아래 연결된 양 옆의 식을 더한 것이다. 이때 x의 값을 구하시오.

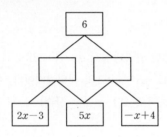

10 다음 그림과 같이 각 면에 x에 대한 일차식이 적힌 전개도로 정육면체를 만들었다. 마주 보는 면에 적힌 두 식의 합이 모두 같아지도록 하는 상수 a의 값을 구하시오.

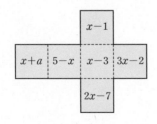

03 복잡한 일차방정식의 풀이

11 일차방정식 $\frac{1}{2}x-0.75x=\frac{2x-7}{6}$의 해를 $x=a$, 일차방정식 $0.2(2x+1)=0.4(4x-3)$의 해를 $x=b$라 할 때, ab의 값을 구하시오.

★중요

12 x에 대한 두 일차방정식 $\frac{x}{2}+\frac{a-x}{6}=\frac{1}{2}(x+2)$와 $0.5(x-2)-0.3(x+b)=-1.5$의 해가 $x=-1$로 같을 때, $a-b$의 값은? (단, a, b는 상수)

① $\frac{4}{3}$　　　② $\frac{5}{3}$　　　③ 2

④ $\frac{7}{3}$　　　⑤ 4

13 비례식 $(x+2):(x-1)=4:3$을 만족시키는 x의 값이 x에 대한 일차방정식 $\frac{x-1}{4}-\frac{x+2a}{3}=-1$의 해일 때, 상수 a의 값을 구하시오.

14 $[x]$는 x보다 크지 않은 최대의 정수를 나타낸다. 예를 들어 $[0.6]=0$, $[-2.4]=-3$이다. 다음 일차방정식의 해를 $x=k$라 할 때, $5+[k]$의 값을 구하시오.

$$[4.5]x-[-6.1]=2(x-[3.9])$$

15 두 유리수 a, b에 대하여 $a \blacklozenge b = ab - 2a$라 하자. 다음 두 식 A, B에 대하여 $A = B$를 만족시키는 x의 값은?

$$A = (2 \blacklozenge x) + \left(\frac{x-3}{2} \blacklozenge 6 \right)$$
$$B = (-1) \blacklozenge 0.2x$$

① $-\dfrac{1}{7}$ ② $\dfrac{2}{7}$ ③ $\dfrac{15}{7}$

④ $\dfrac{20}{7}$ ⑤ 3

16 일차방정식 $\dfrac{1}{2}x + 3 = \dfrac{3}{4}x$의 해가 등식 $|2a-1| = \dfrac{1}{4}x$를 만족시킬 때, 상수 a의 값을 모두 구하시오.

17 등식 $ax - 8 = (5-b)x - 4b$를 만족시키는 x의 값이 무수히 많을 때, 다음 일차방정식의 해를 구하시오.

(단, a, b는 상수)

$$3x - \frac{x+2}{a} = b$$

18 등식 $0.3(4x+6) = 0.2(-ax+b)$를 만족시키는 x의 값이 없을 때, $a+b$의 값이 될 수 <u>없는</u> 것은?

(단, a, b는 상수)

① 1 ② 2 ③ 3

④ 4 ⑤ 5

---

04 일차방정식의 활용 (1)

19 오른쪽 그림과 같은 달력에서 십자가 모양으로 5개의 수를 선택하고 그 수의 합이 120이 되도록 할 때, 이 수 중 가장 큰 수는?

7 July						
일	월	화	수	목	금	토
	1	2	3	4	5	6	7
8	9	10	11	12	13	14
15	16	17	18	19	20	21
22	23	24	25	26	27	28
29	30	31				

① 19 ② 20 ③ 26

④ 27 ⑤ 31

교과서 속 심화

20 총 7곡의 연주 음악이 녹음되어 있는 CD 한 장이 있다. 이 CD 안에는 한 곡의 연주 시간이 6분, 7분, 8분인 음악이 있는데 그중에서 연주 시간이 7분인 것은 1곡이다. 곡과 곡 사이에는 10초씩 쉬고, 첫 곡이 시작되어 마지막 곡이 끝날 때까지는 총 52분이 소요된다고 할 때, 이 CD에 녹음된 음악 중에서 연주 시간이 8분인 것은 몇 곡인가?

① 1곡   ② 2곡   ③ 3곡

④ 4곡   ⑤ 5곡

21 다음은 그리스의 수학자였던 디오판토스의 묘비에 새겨져 있는 글이다. 이 글을 읽고, 디오판토스가 사망한 나이를 구하시오.

'일생의 $\dfrac{1}{6}$은 소년으로 보냈고, 일생의 $\dfrac{1}{12}$은 청년으로 보냈다. 그 뒤 다시 일생의 $\dfrac{1}{7}$을 혼자 살다가 결혼하여 5년 후에 귀한 아들을 낳았다. 가엾은 아들은 아버지 일생의 $\dfrac{1}{2}$만큼 살다 죽었으며, 아들이 죽은 지 4년 후에 비로소 일생을 마쳤노라.'

22 중요

체육관의 긴 의자에 학생들이 앉는데 한 의자에 6명씩 앉으면 10명이 앉지 못하고, 한 의자에 8명씩 앉으면 의자 2개가 비어 있고 마지막 의자에는 두 자리가 남는다. 이때 체육관에 있는 전체 학생 수는?

① 91명　　② 92명　　③ 93명

④ 94명　　⑤ 95명

23 노란색과 파란색의 페인트가 A 통에는 5 : 2의 비율로, B 통에는 1 : 6의 비율로 섞여 있다. A, B의 통에 들어 있는 페인트를 모두 섞어 C 통에 노란색과 파란색의 페인트가 3 : 4의 비율로 섞인 페인트 250 g을 만들었을 때, A 통에 들어 있던 페인트의 양을 구하시오.

24 크기가 같고 긴 변의 길이가 짧은 변의 길이보다 2 cm 만큼 긴 직사각형 모양의 종이 8장을 다음 그림과 같이 겹치는 부분 없이 이어 붙여 큰 직사각형을 만들었다. 이때 만들어진 큰 직사각형의 둘레의 길이를 구하시오.

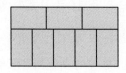

25 교과서 속 심화

물탱크에 물을 가득 채우는 데 A 호스를 사용하면 5시간이 걸리고, B 호스를 사용하면 8시간이 걸린다. A 호스를 사용하여 물을 넣다가 B 호스도 함께 사용하여 모두 4시간 만에 물을 가득 채웠을 때, A 호스만 사용한 시간을 구하시오.

26 길이와 굵기가 다른 두 양초 A, B에 불을 붙이면 각각 일정하게 길이가 줄어든다. 양초 A는 다 타는 데 50분이 걸리고, 양초 A보다 6 cm 긴 양초 B는 다 타는 데 20분이 걸린다. 두 양초에 동시에 불을 붙이고 10분 후에 두 양초의 남은 길이가 같아졌을 때, 처음 양초 A의 길이는?

① 6 cm　　② 7 cm　　③ 8 cm

④ 9 cm　　⑤ 10 cm

27 수현이가 영화 관람을 마치고 나서 시계를 보니 7시와 8시 사이에 시계의 시침과 분침이 서로 반대 방향으로 일직선을 이루고 있었다. 이때 영화가 끝난 시각을 구하시오.

05 일차방정식의 활용 (2)

28 둘레의 길이가 3 km인 호수가 있다. 이 호수의 둘레를 준이와 예원이가 같은 지점에서 서로 반대 방향으로 출발하여 각각 매분 90 m, 60 m의 속력으로 산책을 하였다. 두 사람이 1시간 30분 동안 산책을 하였다면 출발한 후 몇 번 만나는가?

① 2번   ② 3번   ③ 4번

④ 5번   ⑤ 6번

29 시속 3 km로 흐르는 강물을 배로 36 km 내려가는 데 2시간이 걸렸다. 같은 속력의 배로 이 강을 24 km 거슬러 올라가는 데 걸리는 시간은?

(단, 배와 강물의 속력은 각각 일정하다.)

① 2시간   ② 2시간 10분   ③ 2시간 15분

④ 2시간 20분   ⑤ 2시간 25분

교과서 속 심화
30 일정한 속력으로 달리는 기차가 길이 1800 m인 터널을 완전히 지나가는 데 1분이 걸리고, 길이 500 m인 철교를 완전히 지나가는 데 20초가 걸린다. 이 기차의 길이를 구하시오.

중요
31 10 %의 소금물 500 g에서 소금물 한 컵을 덜어 내고 다시 같은 양의 물을 넣었다. 그리고 6 %의 소금물 100 g을 넣었더니 8 %의 소금물이 되었다. 처음에 덜어 낸 10 %의 소금물 한 컵의 양을 구하시오.

32 A 그릇에는 8 %의 소금물 200 g, B 그릇에는 12 %의 소금물 150 g이 각각 들어 있다. A, B 두 그릇에서 각각 같은 양의 소금물을 덜어 내어 서로 바꾸었더니 A, B 그릇에 들어 있는 소금물의 농도가 같아졌다. 이때 각각 덜어 낸 소금물의 양을 구하시오.

33 장원이네 학교의 올해 신입생은 작년에 비해 남학생은 25 % 감소하였고, 여학생은 20 % 증가하여 모두 300명이 되었다. 작년의 신입생 수는 남학생이 여학생보다 10명 더 많았다고 할 때, 올해의 남자 신입생 수를 구하시오.

34 원가가 15000원인 진주 귀걸이를 정가의 25 %를 할인하여 팔아 원가의 15 %의 이익을 남기고 싶다면 원가에 얼마의 이익을 붙여 정가를 매겨야 하는지 구하시오.

01 x에 대한 일차방정식 $5(3x+k)-11=6(2x-1)+3k$의 해가 자연수가 되도록 하는 자연수 k의 값에 대하여 x에 대한 일차방정식 $\dfrac{k-4}{6}(2x-1)=\dfrac{2}{3}(x-k)+\dfrac{1}{2}$의 해를 구하시오.

02 방정식 $x-\dfrac{2}{1-\dfrac{x}{x-1}}=3x-\dfrac{4}{1-\dfrac{x}{x+1}}$ 를 푸시오.

03 0이 아닌 세 수 x, y, z에 대하여 $x:y=1:3$, $(x+z):z=3:1$일 때, $p=\dfrac{3x-2y+10z}{-4x+3y+2z}$, $q=\dfrac{x-y+6z}{3x-2y+5z}$ 이다. 이때 $3p-2k-q=13$을 만족시키는 정수 k의 값을 구하시오.

04 방정식 $2|x+3|=5x+8$의 해를 구하시오.

05 두 유리수 a, b에 대하여 $a*b=3ab-2b$라 할 때, $k*\left\{\left(-\dfrac{2}{3}\right)*\left(\dfrac{3}{2}x-1\right)\right\}=10$을 만족시키는 x의 값이 존재하지 않도록 하는 상수 k의 값을 구하시오.

06 전체 학생 수가 135명인 어느 학교의 회장 선거에서 A, B, C, D, E 5명의 후보자 중 최다 득표자를 회장으로 선출하였다. 다음은 득표수에 관한 자료이다. 회장으로 선출된 사람을 말하시오. (단, 전원이 투표하였으며 기권은 없다.)

> ㈎ A의 득표수는 C의 득표수의 $\dfrac{1}{3}$보다 8만큼 크다.
>
> ㈏ C의 득표수는 E의 득표수의 2배보다 6만큼 크다.
>
> ㈐ A의 득표수와 D의 득표수의 합은 E의 득표수의 3배이다.
>
> ㈑ B의 득표수는 E의 득표수보다 3만큼 크다.

07 어떤 일을 완성하는 데 혼자서 일하면 A는 16일, B는 12일이 걸리고 A, B 두 사람이 함께 일하면 혼자서 할 때의 $\dfrac{2}{3}$밖에 못 한다고 한다. 이 일을 완성하기 위해 A, B 두 사람이 6일 동안 함께 일한 후 남은 일은 B가 혼자서 할 때, B는 며칠 동안 혼자서 일해야 하는지 구하시오.

TOP
08 민지네 중학교 1학년 수학경시대회에 100명의 학생이 참가하여 점수가 높은 순서대로 16명이 수상을 하였다. 16등을 한 민지의 점수는 참가한 전체 학생의 평균 점수보다 30점이 높았고, 민지를 포함한 수상자들의 평균 점수보다는 12점이 낮았다. 수상하지 못한 학생들의 평균 점수는 민지의 점수의 $\dfrac{1}{3}$이라 할 때, 민지의 점수를 구하시오.

3~4 서술형 완성하기

1 0이 아닌 두 수 x, y가 $\dfrac{x-y}{2} = \dfrac{x+y}{3}$ 를 만족시킬 때,

$\dfrac{x^2 - 5y^2}{xy}$ 의 값을 구하시오.

풀이 과정

답

2 어떤 식 A에 $4x+3$을 더했더니 $-2x+5$가 되었고, 어떤 식 B에서 $-3x+2$를 뺐더니 $x-6$이 되었다. 이 때 $A-4B$를 간단히 하시오.

풀이 과정

답

3 x에 대한 일차방정식 $\dfrac{x}{2} - \dfrac{x+a}{3} = -\dfrac{1}{2}(x-2)$의 해 가 $x=2$일 때, x에 대한 일차방정식 $5x-1 = 2(2x+a)$의 해를 구하시오. (단, a는 상수)

풀이 과정

답

4 일차방정식 $\dfrac{7-x}{5} + 0.4x = 2$의 해와 x에 대한 일차방 정식 $0.4(x-1) = \dfrac{x}{5} + a$의 해의 비가 $3:4$일 때, 다음 물음에 답하시오.

(1) $0.4(x-1) = \dfrac{x}{5} + a$의 해를 구하시오.

(2) 상수 a의 값을 구하시오.

풀이 과정

(1)

(2)

답 (1)   (2)

5 현재 희애의 저금통에는 5800원, 미애의 저금통에는 9100원이 들어 있다. 내일부터 매일 희애는 500원씩, 미애는 200원씩 각자의 저금통에 넣는다면 희애와 미애의 저금통에 들어 있는 금액이 같아지는 것은 며칠 후인지 구하시오.

풀이 과정

답

6 가로, 세로의 길이가 각각 20 m, 12 m인 직사각형 모양의 화단에 다음 그림과 같이 폭이 각각 x m, 2 m로 일정한 두 길을 만들었다. 길을 제외한 화단의 넓이가 처음 화단의 넓이의 75 %일 때, x의 값을 구하시오.

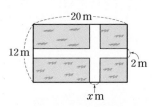

풀이 과정

답

7 x에 대한 일차방정식 $x - \dfrac{2}{3}(x+5a) = -8$의 해가 음의 정수가 되도록 하는 모든 자연수 a의 값의 합을 구하시오.

풀이 과정

답

8 A 중학교에서 방송부원을 모집하는데 지원자의 남학생과 여학생의 비는 2 : 3이었다. 합격자의 남학생과 여학생의 비는 2 : 5, 불합격자의 남학생과 여학생의 비는 2 : 1이고 합격자는 총 35명일 때, 다음 물음에 답하시오.

(1) 불합격한 여학생 수를 구하시오.

(2) 전체 지원자 수를 구하시오.

풀이 과정

(1)

(2)

답 (1)   (2)

5

좌표와 그래프

개념+ ^{대표} 문제 확인하기

● 정답과 해설 29쪽

01 순서쌍과 좌표

1 순서쌍과 좌표

(1) **수직선 위의 점의 좌표**: 수직선 위의 한 점에 대응하는 수를 그 점의 좌표라 한다.

　　[기호] 점 P의 좌표가 a일 때, P(a)

(2) **좌표평면**: 두 수직선이 점 O에서 서로 수직으로 만날 때

　　① 가로의 수직선을 x축, 세로의 수직선을 y축이라 하고, x축과 y축을 통틀어 좌표축이라 한다.

　　② 두 좌표축의 교점 O를 원점이라 한다.

　　③ 좌표축이 정해져 있는 평면을 좌표평면이라 한다.

(3) **순서쌍**: 순서를 생각하여 두 수를 짝 지어 나타낸 것

　　[주의] 순서쌍은 두 수의 순서를 생각한 것이므로 $a \neq b$일 때, 순서쌍 (a, b)와 순서쌍 (b, a)는 서로 다르다.

(4) **좌표평면 위의 점의 좌표**: 좌표평면 위의 한 점 P에서 x축, y축에 각각 수선을 긋고 이 수선이 x축, y축과 만나는 점에 대응하는 수를 각각 a, b라 할 때, 순서쌍 (a, b)를 점 P의 좌표라 한다. [기호] P(a, b)

　　이때 a를 점 P의 x좌표, b를 점 P의 y좌표라 한다.

2 사분면

좌표평면은 좌표축에 의하여 네 부분으로 나뉘는데, 그 각각을 제1사분면, 제2사분면, 제3사분면, 제4사분면이라 한다.

　　[주의] 좌표축 위의 점은 어느 사분면에도 속하지 않는다.

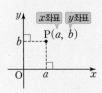

3 대칭인 점의 좌표: 좌표평면 위의 점 (a, b)와

(1) x축에 대하여 대칭인 점의 좌표 ➡ $(a, -b)$ → y좌표의 부호만 반대로

(2) y축에 대하여 대칭인 점의 좌표 ➡ $(-a, b)$ → x좌표의 부호만 반대로

(3) 원점에 대하여 대칭인 점의 좌표 ➡ $(-a, -b)$ → x좌표, y좌표의 부호가 모두 반대로

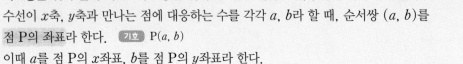
대표 문제

1 다음 중 오른쪽 좌표평면 위의 5개의 점 A~E의 좌표를 나타낸 것으로 옳지 <u>않은</u> 것은?

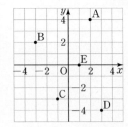

① A($2, 4$)
② B($-3, 2$)
③ C($-1, -3$)
④ D($3, -4$)
⑤ E($0, 1$)

2 두 점 A($a+3$, $b-2$), B($a+2b$, $3a-b$)가 각각 x축, y축 위의 점일 때, ab의 값을 구하시오.

3 세 점 A($5, 2$), B($-3, -4$), C($5, -4$)를 꼭짓점으로 하는 삼각형 ABC의 넓이를 구하시오.

4 점 A(a, b)가 제4사분면 위의 점일 때, 점 B($b-a$, $2ab$)는 제몇 사분면 위의 점인지 구하시오.

5 좌표평면 위의 두 점 A($2a$, $-2b$), B($a+3$, $b-2$)가 원점에 대하여 서로 대칭일 때, $a-b$의 값을 구하시오.

02 그래프와 그 해석

1 그래프

(1) **변수**: x, y와 같이 여러 가지로 변하는 값을 나타내는 문자

(2) **그래프**: 서로 함께 변하는 두 변수 x, y의 순서쌍 (x, y)를 좌표로 하는 점 전체를 좌표평면 위에 나타낸 것

2 그래프의 이해

두 양 사이의 관계를 좌표평면 위에 그래프로 나타내면 두 양의 변화 관계를 알 수 있다.

예 다음은 속력의 변화를 시간에 따라 그래프로 나타내고, 각 그래프의 속력의 변화를 해석한 것이다.

➡ 시간에 따라 속력이 일정하게 증가하였다.

➡ 시간에 따라 속력이 점점 느리게 증가하였다.

➡ 시간에 따라 속력이 점점 빠르게 증가하였다.

➡ 시간에 따라 속력이 점점 느리게 증가하다가 일정하게 유지되었다.

대표 문제

6 윤희는 자동차를 타고 집에서 출발하여 일정한 속력으로 달리다가 도중에 휴게소에 잠시 들른 후 놀이 공원까지 갔다. 윤희가 이동한 거리를 시간에 따라 나타낸 그래프로 알맞은 것을 다음 보기에서 고르시오.

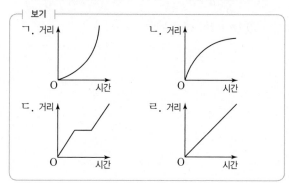

7 오른쪽 그림과 같이 부피가 서로 같은 그릇 A, B, C가 있다. 세 그릇에 일정한 속력으로 물을 채울 때, 물을 채우는 시간 x에 따른 물의 높이를 y라 하자. 각 그릇에 알맞은 그래프를 다음 보기에서 고르시오.

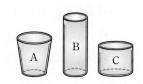

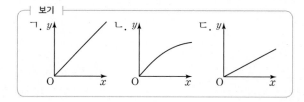

8 오른쪽 그래프는 성훈이가 자전거를 탈 때, 자전거의 속력을 시간에 따라 나타낸 것이다. 다음 물음에 답하시오.

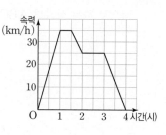

(1) 자전거의 속력이 처음으로 시속 35 km가 되는 것은 출발한 지 몇 시간 후인지 구하시오.

(2) 자전거가 일정한 속력으로 움직인 시간은 모두 몇 분인지 구하시오.

9 오른쪽 그래프는 형과 동생이 집에서 출발하여 서점까지 직선으로 이동할 때, 각각 집에서 떨어진 거리를 시간에 따라 나타낸 것이다. 이 그래프에 대한 설명으로 옳은 것을 다음 보기에서 모두 고르시오.

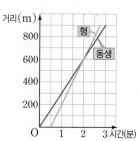

| 보기 |

ㄱ. 형이 동생을 앞서기 시작한 것은 동생이 출발한 지 2분 후이다.

ㄴ. 동생이 출발한 지 1분 후에 형과 동생 사이의 거리는 150 m이다.

ㄷ. 동생은 서점에 3분 만에 도착한다.

ㄹ. 집과 서점 사이의 거리는 800 m이다.

01 순서쌍과 좌표

1 $|a| \leq 2$, $|b| = 3$일 때, 순서쌍 (a, b)로 좌표평면 위에 나타낼 수 있는 점의 개수를 구하시오.

(단, a는 정수)

2 세 점 A$(-1, 4)$, B$(-3, -1)$, C$(3, -3)$을 꼭짓점으로 하는 삼각형 ABC의 넓이를 구하시오.

3 오른쪽 그림에서 점 P(a, b)는 가로의 길이가 5, 세로의 길이가 6인 직사각형 ABCD의 둘레 위를 움직인다. $a+b$의 값이 최소가 될 때, a, b의 값을 각각 구하시오.

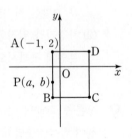

4 두 점 A$(2a, b+3)$, B$(2a-1, b-2)$는 각각 x축, y축 위의 점이고 점 C$\left(4a-1+c, \dfrac{1}{3}b+3\right)$은 어느 사분면에도 속하지 않을 때, 점 $(a+b, -c)$는 제몇 사분면 위의 점인지 구하시오.

교과서 속 심화

5 점 P$(a-b, ab)$가 제4사분면 위의 점일 때, 점 Q$(b-a, ab^2)$은 제몇 사분면 위의 점인가?

① 제1사분면 　　　　② 제2사분면

③ 제3사분면 　　　　④ 제4사분면

⑤ 어느 사분면에도 속하지 않는다.

6 $a+b<0$, $ab<0$, $|a|<|b|$일 때, 다음 중 나머지 넷과 다른 사분면 위에 있는 점은?

① $(ab, b-a)$ 　　　　② $(-2a, 2b)$

③ $\left(\dfrac{a}{b}, a+b\right)$ 　　　　④ $\left(-3b, \dfrac{a+b}{2}\right)$

⑤ $(a+2b, ab+b)$

7 제1사분면 위의 점 P(a, b)와 y축에 대하여 대칭인 점을 Q, 원점에 대하여 대칭인 점을 R라 하자. 삼각형 PQR의 넓이가 30일 때, ab의 값은?

① 10 　　　② 15 　　　③ 20

④ 25 　　　⑤ 30

02 그래프와 그 해석

중요

8 다음 그림과 같이 모양과 크기가 서로 다른 세 그릇 A, B, C가 있다.

아래 보기의 그래프는 세 그릇에 일정한 속력으로 물을 채울 때, 물의 높이를 시간에 따라 나타낸 것이다. 각 그릇에 알맞은 그래프를 보기에서 고르시오.

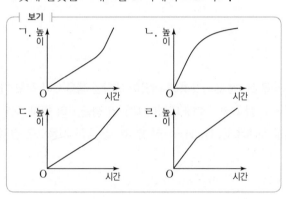

9 다음 그래프는 위아래로 움직이는 놀이 기구가 출발한 지 x초 후의 지면으로부터의 높이를 y m라 할 때, x와 y 사이의 관계를 나타낸 것이다. 물음에 답하시오. (단, 놀이 기구는 지면과 수직인 방향으로만 움직인다.)

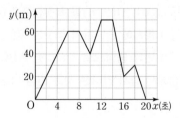

(1) 놀이 기구가 출발한 후 공중에서 멈추는 시간은 모두 몇 초인지 구하시오.

(2) 놀이 기구의 평균 속력은 초속 몇 m인지 구하시오.

교과서 속 심화

10 A, B, C 세 사람이 학교까지 달리기를 하고 있다. 오른쪽 그래프는 출발 신호가 울리고 x초 후에 출발점과 A, B, C가 위치

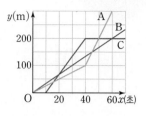

한 지점 사이의 거리를 y m라 할 때, x와 y 사이의 관계를 나타낸 것이다. 다음 중 그래프에 대한 설명으로 옳은 것은? (단, A, B, C가 달린 길은 같다.)

① A, B가 출발한 지 5초 후에 C가 출발하였다.

② A는 100 m 지점 이후부터 B를 앞서기 시작하였다.

③ 출발 신호가 울리고 40초 후의 순위는 C가 1위, A가 3위이다.

④ C가 출발한 지 20초 후에 처음으로 B와 만난다.

⑤ B는 출발한 지 10초 후에 다시 C를 앞서기 시작하였다.

11 다음 [그림 1]과 같이 높이가 16 cm인 직육면체 모양의 물통의 왼쪽에 수도꼭지를 설치하였다. 물통의 밑면에는 높이가 8 cm인 칸막이가 밑면과 수직으로 세워져 있다. [그림 2]의 그래프는 물통에 매초 50 cm³의 속력으로 물을 채울 때, 물통에 있는 물의 최대 높이를 시간에 따라 나타낸 것이다. 물음에 답하시오. (단, 칸막이의 두께는 생각하지 않는다.)

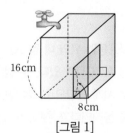

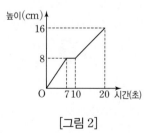

[그림 1]   [그림 2]

(1) 칸막이 오른쪽에 물이 차기 시작한 후부터 칸막이 양쪽의 물의 높이가 같아질 때까지 걸린 시간을 구하시오.

(2) 물통 전체의 밑넓이를 구하시오.

01 오른쪽 그림과 같이 x좌표, y좌표가 모두 정수인 점을 P_1, P_2, P_3, …라 할 때, 점 P_{40}의 좌표를 구하시오.

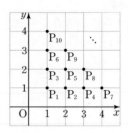

02 점 $A(a, b)$와 원점에 대하여 대칭인 점을 B, 점 B와 x축에 대하여 대칭인 점을 C라 하고 다시 점 C와 원점에 대하여 대칭인 점을 D, 점 D와 x축에 대하여 대칭인 점을 E라 하자. 이와 같은 시행을 계속 반복하여 생기는 점을 차례로 F, G, H, …라 할 때, 점 A와 처음으로 겹쳐지는 점은? (단, $a \neq 0$, $b \neq 0$)

① 점 E ② 점 F ③ 점 G

④ 점 H ⑤ 점 I

03 좌표평면 위의 네 점 $A(-4, 6)$, $B(-4, 0)$, $C(2, 0)$, $D(2, 6)$을 꼭짓점으로 하는 직사각형 ABCD가 있다. 두 점 P, Q가 각각 원점 O에서 동시에 출발하여 점 P는 매초 6의 속력으로 시계 방향으로, 점 Q는 매초 4의 속력으로 시계 반대 방향으로 직사각형 ABCD의 변 위를 움직인다고 한다. 두 점 P, Q가 5번째로 원점에서 다시 만나는 것은 원점 O를 출발한 지 몇 초 후인지 구하시오.

04 오른쪽 그림과 같은 직사각형 ABCD에서 점 P가 직사각형 ABCD 의 둘레를 일정한 속력으로 꼭짓점 A에서 출발하여 꼭짓점 B, C를 거쳐 꼭짓점 D까지 시계 반대 방향으로 움직일 때, 점 P가 꼭짓점 A를 출발한 지 x초 후의 삼각형 APD의 넓이를 y cm²라 하자. 다음 중 x와 y 사이의 관계를 나타낸 그래프로 알맞은 것은?

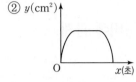

① y(cm²)

② y(cm²)

③ y(cm²)

④ y(cm²)

⑤ y(cm²)

TOP
05 용량이 120 L인 수족관에 물을 채우려고 한다. 오른쪽 그래프 는 비어 있는 수족관에 두 수도꼭지 A, B를 동시에 이용하여 물을 채우기 시작한 지 5분 후에 수도꼭지 A만 잠그고 물을 채울 때, 수족관에 있는 물의 양을 시간에 따라 나타낸 것이다. 두 수도꼭지 A, B에서 각각 일정한 속력으로 물이 나온다고 할 때, 수도꼭지 A만 이용하여 수족관에 물을 가득 채우려면 몇 분이 걸리는지 구하시오.

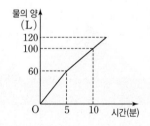

6 정비례와 반비례

개념+ ⁽ᵈᵉˢⁱᵍⁿ⁾대표 문제 확인하기

● 정답과 해설 32쪽

01 정비례 관계

개념 더하기

1 정비례 관계

(1) 정비례: 두 변수 x, y에 대하여
x의 값이 2배, 3배, 4배, …로 변함에 따라 y의 값도 2배, 3배, 4배, …로 변할 때,
y는 x에 정비례한다고 한다.

(2) 정비례 관계식: $y=ax(a\neq0)$ ➡ $\dfrac{y}{x}=a$로 항상 일정하다.

■ $y=a|x|(a\neq0)$의 그래프
(1) $a>0$일 때

(2) $a<0$일 때

➡ $y=a|x|(a\neq0)$의 그래프는 a의 값에 관계없이 y축에 대하여 항상 대칭이다.

2 정비례 관계 $y=ax(a\neq0)$의 그래프

x의 값의 범위가 수 전체일 때, 정비례 관계 $y=ax(a\neq0)$의 그래프는 원점을 지나는 직선이다.

	$a>0$일 때	$a<0$일 때
그래프	(그래프: 점 $(1,a)$를 지남)	(그래프: 점 $(1,a)$를 지남)
지나는 사분면	제1사분면과 제3사분면을 지난다.	제2사분면과 제4사분면을 지난다.
그래프의 모양	오른쪽 위로 향하는 직선	오른쪽 아래로 향하는 직선
증가·감소 상태	x의 값이 커지면 y의 값도 커진다.	x의 값이 커지면 y의 값은 작아진다.

참고 • 특별한 말이 없으면 정비례 관계 $y=ax(a\neq0)$에서 x의 값의 범위는 수 전체로 생각한다.
• 정비례 관계 $y=ax(a\neq0)$의 그래프는 a의 절댓값이 클수록 y축에 가까워진다.

대표 문제

1 다음 표에서 y가 x에 정비례할 때, $b-a$의 값을 구하시오.

x	-4	a	2	3
y	12	-3	-6	b

2 다음 중 정비례 관계 $y=-5x$의 그래프에 대한 설명으로 옳지 <u>않은</u> 것을 모두 고르면? (정답 2개)

① 원점을 지난다.

② 오른쪽 아래로 향하는 직선이다.

③ 점 $(-5, 1)$을 지난다.

④ 제1사분면과 제3사분면을 지난다.

⑤ x의 값이 커지면 y의 값은 작아진다.

3 정비례 관계 $y=ax$의 그래프가 두 점 $(-2, b)$, $(3, -2)$를 지날 때, $a+b$의 값은? (단, a는 상수)

① $-\dfrac{4}{3}$　　② $-\dfrac{2}{3}$　　③ $\dfrac{2}{3}$

④ $\dfrac{4}{3}$　　⑤ $\dfrac{8}{3}$

개념 더하기

4 다음 좌표평면 위에 $y=2|x|$의 그래프를 그리시오.

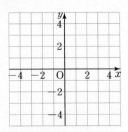

1 **반비례 관계**

(1) 반비례: 두 변수 x, y에 대하여

x의 값이 2배, 3배, 4배, …로 변함에 따라 y의 값이 $\frac{1}{2}$배, $\frac{1}{3}$배, $\frac{1}{4}$배, …로 변할 때,

y는 x에 반비례한다고 한다.

(2) 반비례 관계식: $y = \dfrac{a}{x}(a \neq 0)$ ➡ $xy = a$로 항상 일정하다.

2 **반비례 관계 $y = \dfrac{a}{x}(a \neq 0)$의 그래프**

x의 값의 범위가 0이 아닌 수 전체일 때, 반비례 관계 $y = \dfrac{a}{x}(a \neq 0)$의 그래프는 좌표축에 가까워지면서 한없이 뻗어 나가는 한 쌍의 매끄러운 곡선이다.

	$a > 0$일 때	$a < 0$일 때
그래프		
지나는 사분면	제1사분면과 제3사분면을 지난다.	제2사분면과 제4사분면을 지난다.
증가·감소 상태	각 사분면에서 x의 값이 커지면 y의 값은 작아진다.	각 사분면에서 x의 값이 커지면 y의 값도 커진다.

참고 • 특별한 말이 없으면 반비례 관계 $y = \dfrac{a}{x}(a \neq 0)$에서 x의 값의 범위는 0이 아닌 수 전체로 생각한다.

• 반비례 관계 $y = \dfrac{a}{x}(a \neq 0)$의 그래프는 a의 절댓값이 클수록 원점에서 멀어진다.

대표 문제

5 다음 중 y가 x에 반비례하는 것을 모두 고르면?

(정답 2개)

① 한 변의 길이가 x cm인 정삼각형의 둘레의 길이 y cm

② 하루 중 밤의 길이가 x시간일 때, 낮의 길이 y시간

③ 1분에 5 kcal의 열량이 소모된다고 할 때, x분 동안 소모되는 열량 y kcal

④ 통화 시간 1초당 전화 요금이 y원일 때, x초 동안 통화한 전화 요금 9000원

⑤ 시속 y km로 x시간 동안 달린 거리 20 km

6 y가 x에 반비례하고 $x = -4$일 때, $y = 2$이다. $y = 4$일 때, x의 값을 구하시오.

7 다음 중 반비례 관계 $y = \dfrac{a}{x}(a \neq 0)$의 그래프에 대한 설명으로 옳은 것은?

① x의 값이 2배, 3배, 4배, …로 변함에 따라 y의 값도 2배, 3배, 4배, …로 변한다.

② a의 값이 클수록 원점에서 멀어진다.

③ $a > 0$이면 제2사분면과 제4사분면을 지난다.

④ 점 $(1, a)$를 지난다.

⑤ 반비례 관계 $y = -\dfrac{a}{x}(a \neq 0)$의 그래프와 한 점에서 만난다.

8 오른쪽 그림과 같은 그래프가 점 $(-6, k)$를 지날 때, k의 값을 구하시오.

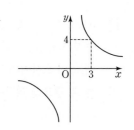

03 정비례 관계, 반비례 관계의 활용

정비례 관계와 반비례 관계의 활용 문제는 다음과 같은 순서로 푼다.

❶ 변화하는 두 양을 x와 y로 놓는다.

❷ x와 y 사이의 관계식을 구한다.
- 정비례 관계 ➡ $y=ax\,(a\neq0)$의 꼴
- 반비례 관계 ➡ $y=\dfrac{a}{x}\,(a\neq0)$의 꼴

❸ 관계식을 이용하여 문제에서 요구하는 답을 구한다.

❹ 구한 답이 문제의 조건에 맞는지 확인한다.

개념 활용하기

▪ y가 x에 정비례하는 경우
① x의 값이 2배, 3배, 4배, …로 변함에 따라 y의 값도 2배, 3배, 4배, …로 변할 때
② $\dfrac{y}{x}$의 값이 일정하게 나타날 때

▪ y가 x에 반비례하는 경우
① x의 값이 2배, 3배, 4배, …로 변함에 따라 y의 값이 $\dfrac{1}{2}$배, $\dfrac{1}{3}$배, $\dfrac{1}{4}$배, …로 변할 때
② xy의 값이 일정하게 나타날 때

대표 문제

9 오른쪽 그림과 같은 직사각형 ABCD에서 점 P는 꼭짓점 B를 출발하여 꼭짓점 C까지 선분 BC 위를 움직인다. 선분 BP의 길이를 x cm, 삼각형 ABP의 넓이를 y cm²라 할 때, x와 y 사이의 관계식은?
(단, $0<x\leq16$)

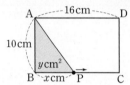

① $y=\dfrac{1}{3}x$ ② $y=\dfrac{9}{2}x$ ③ $y=5x$

④ $y=\dfrac{11}{2}x$ ⑤ $y=8x$

10 용량이 60 L인 원기둥 모양의 물통에 매분 3 L씩 물을 넣을 때, x분 동안 넣은 물의 양을 y L라 하자. 이때 x와 y 사이의 관계식과 이 물통에 물을 전체의 $\dfrac{3}{4}$만큼 채우는 데 걸리는 시간을 차례로 구하시오.

11 5 L의 휘발유로 120 km를 가는 자동차가 있다. 이 자동차가 x L의 휘발유로 갈 수 있는 거리를 y km라 할 때, x와 y 사이의 관계식과 이 자동차로 768 km를 가는 데 필요한 휘발유의 양을 차례로 구하시오.
(단, 자동차의 속력은 일정하다.)

12 어느 학교의 음악실을 청소하는 데 6명의 학생이 하면 40분이 걸린다고 한다. 이때 15분 만에 청소를 끝내려면 몇 명의 학생이 필요한가?
(단, 학생들의 일하는 능력은 모두 같다.)

① 14명 ② 15명 ③ 16명
④ 17명 ⑤ 18명

13 톱니의 수가 각각 15개, x개인 두 톱니바퀴 A, B가 서로 맞물려 돌아가고 있다. A가 1분에 2바퀴 회전할 때, B는 1분에 y바퀴 회전한다. 다음 설명 중 옳지 <u>않은</u> 것은?

① A가 2바퀴 회전할 때, 회전한 톱니의 수는 30개이다.
② B가 y바퀴 회전할 때, 회전한 톱니의 수는 xy개이다.
③ x와 y 사이의 관계식은 $y=\dfrac{30}{x}$이다.
④ y는 x에 반비례한다.
⑤ B의 톱니의 수가 10개이면 B는 1분에 4바퀴 회전한다.

01 정비례 관계

^{중요}
1 정비례 관계 $y=ax$의 그래프가 오른쪽 그림과 같을 때, 상수 a의 값이 큰 그래프부터 차례로 나열한 것은?

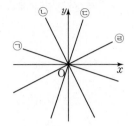

① ㉡, ㉠, ㉣, ㉢
② ㉡, ㉢, ㉠, ㉣
③ ㉢, ㉣, ㉠, ㉡
④ ㉢, ㉣, ㉡, ㉠
⑤ ㉣, ㉠, ㉢, ㉡

2 원점이 아닌 두 점 $A(-m+3, m-3)$, $B(13n, 8)$이 모두 정비례 관계 $y=ax$의 그래프 위의 점일 때, $a+n$의 값은? (단, a는 상수)

① $-\dfrac{21}{13}$
② -1
③ $-\dfrac{8}{13}$
④ $\dfrac{8}{13}$
⑤ $\dfrac{21}{13}$

3 정비례 관계 $y=ax$의 그래프가 오른쪽 그림과 같이 두 정비례 관계 $y=\dfrac{5}{3}x$와 $y=-\dfrac{1}{4}x$의 그래프 사이의 색칠한 부분에 있을 때, 다음 중 상수 a의 값이 될 수 없는 것은?

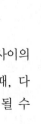

① $-\dfrac{1}{5}$
② $-\dfrac{1}{6}$
③ $\dfrac{1}{4}$
④ 1
⑤ 2

4 오른쪽 그림과 같이 두 정비례 관계 $y=\dfrac{1}{2}x$, $y=ax$의 그래프 위의 두 점 A, B를 이은 선분 AB가 y축과 수직으로 만난다. 이때 y축과 만나는 점 P에 대하여 선분 AP의 길이와 선분 BP의 길이의 비가 1 : 2일 때, 상수 a의 값은?

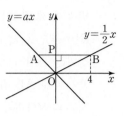

① -3
② -2
③ -1
④ $-\dfrac{1}{3}$
⑤ $-\dfrac{1}{4}$

5 좌표평면 위에 두 점 $A(-4, 1)$, $B(-2, -3)$이 있다. 점 A와 x축에 대하여 대칭인 점을 C라 할 때, 정비례 관계 $y=ax$의 그래프가 선분 BC와 만나기 위한 상수 a의 값의 범위를 구하시오.

^{교과서 속} 심화
6 오른쪽 그림과 같이 두 정비례 관계 $y=3x$와 $y=\dfrac{1}{3}x$의 그래프가 정사각형 ABCD와 각각 점 A, C에서 만난다. 점 A의 y좌표가 12일 때, 점 D의 좌표는?
(단, 정사각형의 모든 변은 좌표축에 각각 평행하다.)

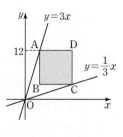

① $(8, 12)$
② $(10, 12)$
③ $(12, 12)$
④ $\left(\dfrac{35}{3}, 12\right)$
⑤ $\left(\dfrac{40}{3}, 12\right)$

7 오른쪽 그림과 같이 좌표평면 위에 세 점 A(6, 0), B(6, 4), C(3, 4)가 있다. 정비례 관계 $y=ax$의 그래프가 선분 AB 위의 한 점을 지나고 사다리꼴 OABC의 넓이를 이등분할 때, 상수 a의 값을 구하시오.

(단, O는 원점)

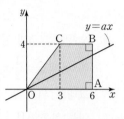

8 오른쪽 그림과 같이 정비례 관계 $y=ax$의 그래프 위의 한 점 P에서 y축에 수직인 직선을 그었을 때, y축과 만나는 점 Q의 좌표는 $(0, -4)$이다. 삼각형 OPQ의 넓이가 9일 때, 양수 a의 값은? (단, O는 원점)

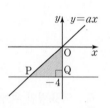

① $\dfrac{2}{9}$ ② $\dfrac{8}{9}$ ③ $\dfrac{9}{8}$

④ $\dfrac{9}{4}$ ⑤ $\dfrac{9}{2}$

9 오른쪽 그림과 같이 네 변이 모두 좌표축에 평행한 직사각형 ABCD가 있다. 점 A는 정비례 관계 $y=x$의 그래프 위의 점이고 두 점 B, D는 정비례 관계 $y=\dfrac{1}{3}x$의 그래프 위의 점이다. 점 D의 x좌표가 9일 때, 직사각형 ABCD의 넓이를 구하시오.

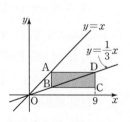

---

02 반비례 관계

10 점 (a, b)가 제3사분면 위의 점일 때, 다음 그래프 중 제2사분면과 제4사분면을 지나는 것을 모두 고르면?

(정답 2개)

① $y=-ax$ ② $y=\dfrac{b}{a}x$

③ $y=(a+b)x$ ④ $y=\dfrac{b}{x}$

⑤ $y=\dfrac{ab}{x}$

11 ^{중요} 정비례 관계 $y=ax(x<0)$의 그래프가 제2사분면을 지날 때, 반비례 관계 $y=-\dfrac{a}{x}(x<0)$의 그래프가 지나는 사분면은? (단, a는 상수)

① 제1사분면 ② 제2사분면
③ 제3사분면 ④ 제4사분면
⑤ 제2사분면과 제4사분면

12 오른쪽 그림은 반비례 관계 $y=\dfrac{a}{x}(x>0)$의 그래프이다. 이 그래프 위의 두 점 P, Q의 x좌표가 각각 3, 5이고 y좌표의 차가 4일 때, 점 Q의 좌표를 구하시오. (단, a는 상수)

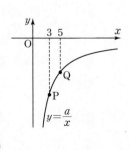

13 오른쪽 그림은 점 $(12, 3)$을 지나는 반비례 관계 $y=\dfrac{a}{x}$의 그래프이다. 이 그래프 위의 한 점 P에서 x축, y축에 수선을 그어 x축, y축과 만나는 점을 각각 A, B라 하자. 사각형 OAPB가 정사각형일 때, 점 P의 좌표는?

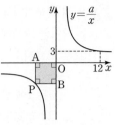

(단, a는 상수이고, O는 원점이다.)

① $(-1, -1)$　② $(-2, -2)$　③ $(-4, -4)$
④ $(-6, -6)$　⑤ $(-8, -8)$

14 반비례 관계 $y=-\dfrac{8}{x}$의 그래프가 오른쪽 그림과 같을 때, 색칠한 부분에 있는 점 중에서 x좌표와 y좌표가 모두 정수인 점의 개수는?

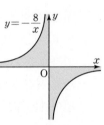

(단, 좌표축 및 곡선 위의 점은 포함하지 않는다.)

① 16개　　② 20개　　③ 24개
④ 28개　　⑤ 32개

15 오른쪽 그림과 같이 두 점 P, Q는 반비례 관계 $y=\dfrac{a}{x}(x<0)$의 그래프 위의 점이다. 점 P에서 x축에 수선을 그어 x축과 만나는 점을 A라 할 때, 직각삼각형 PAO의 넓이를 구하시오.

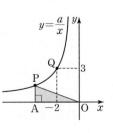

(단, a는 상수이고, O는 원점이다.)

16 오른쪽 그림은 점 $P\left(\dfrac{1}{2}, 10\right)$을 지나는 반비례 관계 $y=\dfrac{a}{x}(x>0)$의 그래프이다. 이 그래프 위의 점 P가 아닌 10개의 점 A_1, A_2, A_3, $\cdots$, A_{10}에서 각각 x축, y축에 그은 수선과 좌표축으로 둘러싸인 직사각형의 넓이의 합을 구하시오.

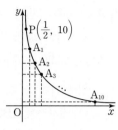

(단, a는 상수)

교과서 속 심화

17 오른쪽 그림과 같이 반비례 관계 $y=\dfrac{a}{x}(x>0)$의 그래프 위의 한 점 P에서 x축, y축에 수선을 그었을 때, x축, y축과 만나는 점을 각각 A, B라 하자. 직사각형 OAPB의 넓이가 18일 때, 상수 a의 값을 구하시오. (단, O는 원점)

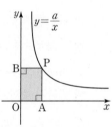

18 오른쪽 그림과 같이 정비례 관계 $y=-\dfrac{4}{3}x$와 반비례 관계 $y=\dfrac{k}{x}$의 그래프가 두 점 $A(-3, a)$, $B(b, -4)$에서 만날 때, $a+b+k$의 값을 구하시오. (단, k는 상수)

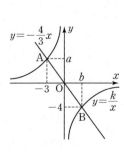

19 오른쪽 그림과 같이 정비례 관계 $y=ax$와 반비례 관계 $y=-\dfrac{6a}{x}(x>0)$의 그래프 위에 각각 두 점 B, D가 있다. 직사각형 ABCD는 가로, 세로의 길이의 비가 2 : 1이고 두 점 B, D의 x좌표는 각각 -2, 2일 때, 상수 a의 값은?

(단, 직사각형의 각 변은 좌표축과 평행하다.)

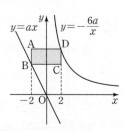

① -1 ② -2 ③ -3
④ -4 ⑤ -5

22 시계의 분침이 x분 동안 회전한 각도를 $y°$라 하자. x와 y 사이의 관계에 대하여 다음 보기 중 옳지 <u>않은</u> 것을 모두 고르시오. (단, $0\le x\le 60$)

┤ 보기 ├

ㄱ. y는 x에 반비례한다.

ㄴ. 36°를 회전하는 데 6분이 걸린다.

ㄷ. x의 값이 커지면 y의 값도 커진다.

ㄹ. x와 y 사이의 관계를 나타내는 그래프는 제2사분면을 지난다.

교과서 속 심화

20 오른쪽 그림은 두 점 A(4, a), B(b, 2)를 지나는 반비례 관계 $y=\dfrac{16}{x}(x>0)$의 그래프이다. 정비례 관계 $y=mx$의 그래프가 선분 AB와 만나기 위한 상수 m의 값의 범위는?

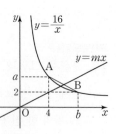

① $\dfrac{1}{16}\le m\le \dfrac{1}{4}$ ② $\dfrac{1}{8}\le m\le \dfrac{1}{4}$

③ $\dfrac{1}{4}\le m\le 1$ ④ $1\le m\le \dfrac{5}{4}$

⑤ $1\le m\le 4$

중요

23 오른쪽 그래프는 집에서 2 km 떨어진 학교까지 일정한 속력으로 자전거를 타고 가는 경우(㉠)와 걸어가는 경우(㉡)의 이동 거리를 시간에 따라 나타낸 것이다. 자전거를 타고 가면 걸어가는 것보다 몇 분 더 빨리 학교에 도착하는가?

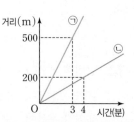

① 12분 ② 16분 ③ 20분
④ 24분 ⑤ 28분

---

03 정비례 관계, 반비례 관계의 활용

21 오른쪽 그림과 같은 직각 삼각형 ABC에서 점 P는 점 B를 출발하여 점 C까지 매초 2 cm의 일정한 속력으로 선분 BC 위를 움직인다. x초 후의 삼각형 ABP의 넓이를 y cm²라 할 때, 삼각형 ABP의 넓이가 18 cm²가 되는 것은 점 P가 점 B를 출발한 지 몇 초 후인지 구하시오. (단, $0<x\le 8$)

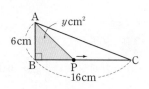

24 오른쪽 그래프는 어떤 사무실에서 사용하는 A, B 두 대의 프린터가 인쇄하는 데 걸리는 시간과 인쇄할 수 있는 쪽수 사이의 관계를 나타낸 것이다. 두 프린터를 동시에 사용하여 492쪽을 인쇄하는 데 걸리는 시간은?

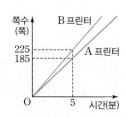

① 5분 ② 6분 ③ 8분
④ 9분 ⑤ 10분

25 선희는 인라인스케이트를 타고 재원이는 자전거를 타고 도착점에 누가 먼저 도착하는지 경기를 하려고 한다. 선희는 인라인스케이트로 1분에 125 m를 갈 수 있고, 재원이는 자전거로 1분에 150 m를 갈 수 있다고 한다. 출발점에서 도착점까지의 거리는 1500 m이고 선희가 재원이보다 3분 먼저 출발하였을 때, 도착점에 먼저 도착한 사람을 말하시오.

26 크기가 같은 정사각형 모양의 타일 30개를 겹치는 부분이 없도록 빈틈없이 붙여서 직사각형을 만들려고 한다. 가로, 세로에 놓인 타일의 개수를 각각 x개, y개라 할 때, 다음 물음에 답하시오.

(1) x와 y 사이의 관계식을 구하시오.
(2) 가로에 놓인 타일의 개수가 5개일 때, 세로에 놓인 타일의 개수를 구하시오.

중요
27 1분에 100 L씩 물을 넣어서 수영장에 물을 가득 채우려면 200분이 걸린다. 1분 동안 넣는 물의 양을 x L, 수영장에 물을 가득 채우는 데 걸리는 시간을 y분이라 할 때, 다음 보기 중 옳은 것을 모두 고르시오.

┤ 보기 ├

ㄱ. x와 y 사이의 관계식은 $y=\dfrac{20000}{x}$이다.

ㄴ. y는 x에 정비례한다.

ㄷ. 1분에 80 L씩 물을 넣을 때, 수영장에 물을 가득 채우는 데 300분이 걸린다.

ㄹ. 400분 동안 물을 넣어서 수영장에 물을 가득 채우려면 1분에 50 L씩 물을 넣어야 한다.

교과서 **속** 심화

28 오른쪽 그래프는 일정한 온도에서 어떤 기체에 가해지는 압력 x기압과 부피 y mL 사이의 관계를 나타낸 것이다. 같은 온도에서 8기압의 압력을 주었을 때, 이 기체의 부피를 구하시오.

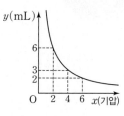

29 다음 그림과 같이 시소의 받침대에서 왼쪽으로 20 cm 떨어진 곳에 무게가 50 g인 추를 올려 놓고, 오른쪽으로 y cm 떨어진 곳에 무게가 x g인 초콜릿을 올려 놓으면 평형을 이룬다고 한다. 초콜릿의 무게가 20 g일 때, 받침대에서 초콜릿까지의 거리를 구하시오.

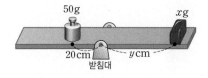

30 서로 맞물려 도는 두 톱니바퀴 A, B가 있다. 톱니의 수가 25개인 톱니바퀴 A가 15초에 6바퀴 회전할 때, 톱니의 수가 x개인 톱니바퀴 B는 1분에 y바퀴 회전한다고 한다. $x=20$, $x=30$, $x=40$일 때의 y의 값의 합은?

① 50   ② 55   ③ 60
④ 65   ⑤ 70

01 오른쪽 그림과 같이 제1사분면 위의 점 A는 정비례 관계 $y=x$의 그래프 위를 움직인다. 점 A에서 x축에 수선을 그어 x축과 만나는 점을 B라 하고, 선분 AB를 한 변으로 하는 정사각형 ABCD에 대하여 점 D는 정비례 관계 $y=ax$의 그래프 위를 움직일 때, 상수 a의 값을 구하시오. (단, $0<a<1$)

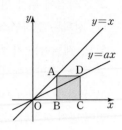

02 오른쪽 그림과 같이 $y=a|x|$의 그래프는 x축과 평행하고 점 $(0, 4)$를 지나는 직선 l과 두 점 P, Q에서 만난다. 삼각형 POQ의 넓이가 10일 때, 상수 a의 값을 구하시오. (단, O는 원점)

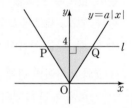

03 반비례 관계 $y=\dfrac{a}{x}$의 그래프가 점 $\left(\dfrac{1}{3}, -9\right)$를 지날 때, 이 그래프 위의 점 중에서 x좌표와 y좌표가 모두 정수인 점들을 연결하여 만든 사각형의 넓이를 구하시오. (단, a는 상수)

04 오른쪽 그림은 두 정비례 관계 $y=ax$, $y=bx$의 그래프와 반비례 관계 $y=\dfrac{8ab}{x}$ $(x>0)$의 그래프를 나타낸 것이다. 점 P의 x좌표와 점 Q의 y좌표가 각각 2일 때, 삼각형 POQ의 넓이를 구하시오.

(단, a, b는 상수이고, O는 원점이다.)

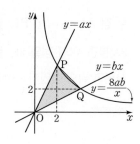

05 오른쪽 그림과 같이 톱니 수가 각각 36개, 48개, 16개, 18개 인 톱니바퀴 A, B, C, D가 있다. A와 B, C와 D가 서로 맞물려 돌아가고 A가 x바퀴 회전하는 동안 D는 y바퀴 회전 한다고 할 때, x와 y 사이의 관계식을 구하시오.

(단, B와 C의 회전수는 같다.)

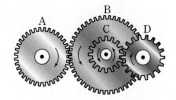

06 일정한 속력으로 달리는 기차가 길이 400 m인 터널에 진입해서 완전히 빠져나가는 데 2분이 걸리고, 길이 900 m인 터널에 진입해서 완전히 빠져나가는 데 3분이 걸린다. 이 기차가 1시간 동안 이동한 거리는 몇 km인지 구하시오.

5~6 서술형 완성하기

1 두 점 $A(a, -b)$, $B(-c, d)$가 각각 제1사분면과 제2사분면 위의 점일 때, 점 $C\left(\dfrac{a+c}{2}, \dfrac{b-d}{2}\right)$는 제몇 사분면 위의 점인지 구하시오.

> 풀이 과정
>
> 답

2 점 $P(5, 2)$와 x축에 대하여 대칭인 점을 A, y축에 대하여 대칭인 점을 B, 원점에 대하여 대칭인 점을 C라 할 때, 다음 물음에 답하시오.

(1) 세 점 A, B, C의 좌표를 각각 구하시오.

(2) 세 점 A, B, C를 꼭짓점으로 하는 삼각형 ABC의 넓이를 구하시오.

> 풀이 과정
> (1)
>
> (2)
>
> 답 (1)　　　　　　(2)

3 오른쪽 그래프는 어느 저수지에서 물을 빼기 위해 수문을 열고 닫을 때, 저수지에 있는 물의 양을 시간에 따라 나타낸 것이다. 다음 물음에 답하시오.

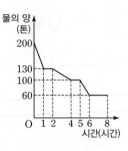

(1) 저수지에서 뺀 물의 양은 모두 몇 톤인지 구하시오.

(2) 물을 빼기 위해 저수지의 수문을 연 시간은 모두 몇 시간인지 구하시오.

> 풀이 과정
> (1)
>
> (2)
>
> 답 (1)　　　　　　(2)

4 정비례 관계 $y = ax$의 그래프가 두 점 $\left(4, -\dfrac{1}{2}\right)$, $(b, 2)$를 지날 때, ab의 값을 구하시오. (단, a는 상수)

> 풀이 과정
>
> 답

5 오른쪽 그림과 같이 정비례 관계 $y=\frac{1}{2}x$의 그래프와 반비례 관계 $y=\frac{a}{x}$의 그래프가 점 P$(-4,\ k)$에서 만날 때, $a+k$의 값을 구하시오.

(단, a는 상수)

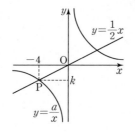

풀이 과정

답

6 온도가 일정할 때, 기체의 부피 $y\,\mathrm{cm}^3$는 압력 x기압에 반비례한다. 어떤 기체의 부피가 $72\,\mathrm{cm}^3$일 때, 이 기체의 압력은 0.5기압이다. 다음 물음에 답하시오.

(1) x와 y 사이의 관계식을 구하시오.

(2) 압력이 4기압일 때와 6기압일 때, 이 기체의 부피의 차를 구하시오.

풀이 과정

(1)

(2)

답 (1)　　　　　　(2)

7 두 점 A$(a-2,\ 4a-1)$, B$(3-2b,\ b+1)$은 각각 x축, y축 위에 있다. 점 C의 좌표가 $(2a+b,\ a+b^2)$일 때, 세 점 A, B, C를 꼭짓점으로 하는 삼각형 ACB의 넓이를 구하시오.

풀이 과정

답

8 오른쪽 그림과 같이 좌표평면 위에 두 점 A$(0,\ 6)$, B$(5,\ 0)$이 있다. 정비례 관계 $y=ax$의 그래프가 선분 AB 위의 점 P를 지나고 삼각형 AOB의 넓이를 (삼각형 AOP의 넓이) : (삼각형 POB의 넓이)$=1:2$가 되도록 나눌 때, 다음 물음에 답하시오.

(단, O는 원점)

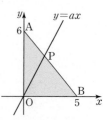

(1) 상수 a의 값을 구하시오.

(2) 점 P의 좌표를 구하시오.

풀이 과정

(1)

(2)

답 (1)　　　　　　(2)

MEMO

15개정 교육과정

·개념과 유형이 하나로·

개념＋유형

정답과 해설

최고수준 **TOP**

중등 수학

1·1

visang

1. 소인수분해

P. 8~10 개념+ 대표 문제 확인하기

1 ③	**2** ②	**3** 56	**4** ①	**5** 3
6 ②	**7** ⑤	**8** ⑤	**9** 8개	**10** 12
11 12	**12** 880	**13** 오전 9시 24분	**14** 48	
15 242	**16** 30			

1
① 1은 소수도 합성수도 아니다.
② 2는 소수이지만 짝수이다.
③ 5의 배수 중 소수는 5 하나뿐이다.
④ 3, 7은 모두 소수이지만 $3+7=10$은 소수가 아니다.
⑤ 2는 짝수이지만 소수이다.
따라서 옳은 것은 ③이다.

2
① $12=2^2\times3$이므로 소인수는 2, 3의 2개이다.
② $42=2\times3\times7$이므로 소인수는 2, 3, 7의 3개이다.
③ $75=3\times5^2$이므로 소인수는 3, 5의 2개이다.
④ $88=2^3\times11$이므로 소인수는 2, 11의 2개이다.
⑤ $125=5^3$이므로 소인수는 5의 1개이다.
따라서 서로 다른 소인수의 개수가 가장 많은 것은 ②이다.

3
$126\times a=2\times3^2\times7\times a$이므로
$a=2\times7=14$
$b^2=2\times3^2\times7\times(2\times7)=(2\times3\times7)\times(2\times3\times7)$
$\quad=(2\times3\times7)^2$
이므로 $b=2\times3\times7=42$
$\therefore a+b=14+42=56$

4
$360=2^3\times3^2\times5$이므로 360의 약수의 개수는
$(3+1)\times(2+1)\times(1+1)=24(개)$
즉, $32\times3^a\times7^b=2^5\times3^a\times7^b$의 약수의 개수가 24개이므로
$(5+1)\times(a+1)\times(b+1)=24$
$(a+1)\times(b+1)=4$
이때 a, b는 자연수이므로 $a+1=2$, $b+1=2$
따라서 $a=1$, $b=1$이므로 $ab=1\times1=1$

5
$45=3^2\times5$이므로
$$\begin{array}{r}2^2\times3^a\times5^2\\3^3\times5^b\times7\\\hline(최대공약수)=\quad3^2\times5\end{array}$$
따라서 $a=2$, $b=1$이므로 $a+b=2+1=3$

6
$$\begin{array}{r}2^3\times3^2\\2^2\times3^2\times5\\\hline(최대공약수)=2^2\times3^2\quad=36\end{array}$$

즉, 공약수는 최대공약수의 약수이므로 36의 약수인
1, 2, 3, 4, 6, 9, 12, 18, 36이다.
따라서 공약수가 아닌 것은 ②이다.

7
주어진 두 수의 최대공약수를 각각 구하면
① 3 ② 7 ③ 13 ④ 7 ⑤ 1
따라서 두 수가 서로소인 것은 ⑤이다.

8
타일은 가능한 한 큰 정사각형 모양이어야 하므로 타일의 한 변의 길이는 64와 80의 최대공약수인 $2^4=16(cm)$이다.
즉, 가로, 세로에 필요한 타일의 개수는
가로: $64\div16=4(개)$
세로: $80\div16=5(개)$
따라서 필요한 타일의 개수는 $4\times5=20(개)$

$$\begin{array}{r|rr}2&64&80\\2&32&40\\2&16&20\\2&8&10\\\hline&4&5\end{array}$$

9
n은 48과 72의 공약수이고, 48과 72의 최대공약수는 $2^3\times3=24$이므로 n의 값은 1, 2, 3, 4, 6, 8, 12, 24이다.
따라서 자연수 n의 개수는 8개이다.

$$\begin{array}{r|rr}2&48&72\\2&24&36\\2&12&18\\3&6&9\\\hline&2&3\end{array}$$

다른 풀이 n은 48과 72의 최대공약수인 $2^3\times3$의 약수이다.
따라서 자연수 n의 개수는
$(3+1)\times(1+1)=8(개)$

10
구하는 수는
$39-3=36$, $63-3=60$, $87-3=84$
의 최대공약수이므로
$2^2\times3=12$이다.

$$\begin{array}{r|rrr}2&36&60&84\\2&18&30&42\\3&9&15&21\\\hline&3&5&7\end{array}$$

11
$$\begin{array}{r}2^a\times5\\2^2\times5^b\times c\\\hline(최소공배수)=2^3\times5^2\times7\end{array}$$
따라서 $a=3$, $b=2$, $c=7$이므로
$a+b+c=3+2+7=12$

12
세 수 8, 16, 20의 최소공배수는
$2^4\times5=80$
따라서 $80\times11=880$, $80\times12=960$에서
900에 가장 가까운 수는 880이다.

$$\begin{array}{r|rrr}2&8&16&20\\2&4&8&10\\2&2&4&5\\\hline&1&2&5\end{array}$$

13
42와 12의 최소공배수는
$2^2\times3\times7=84$
즉, 기차와 전철은 오전 8시 이후에
84분($=$1시간 24분)마다 동시에 출발한다.
따라서 처음으로 다시 동시에 출발하는 시각은
오전 9시 24분이다.

$$\begin{array}{r|rr}2&42&12\\3&21&6\\\hline&7&2\end{array}$$

14 구하는 수는 $12=2^2\times3$과 $16=2^4$의 최소공배수이므로 $2^4\times3=48$이다.

15 조건을 만족시키는 수는 6, 15, 24의 공배수보다 2만큼 큰 수이고, 세 수의 최소공배수가 $3\times2\times5\times4=120$이므로 $120+2$, $240+2$, $360+2$, …이다.
따라서 두 번째로 작은 수는 242이다.

```
3) 6  15  24
2) 2   5   8
   1   5   4
```

16 (두 수의 곱)=(최대공약수)×(최소공배수)이므로
$2^4\times3^3\times5^2\times7$=(최대공약수)×$(2^3\times3^2\times5\times7)$
∴ (최대공약수)=$2\times3\times5=30$

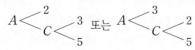

P. 11~14   내신 5% 따라잡기

1 4개	**2** 8개	**3** 9	**4** 30, 70	**5** ⑤
6 ③	**7** 260	**8** ④	**9** ④	**10** 126
11 12	**12** 4개	**13** 6개	**14** ⑤	**15** ⑤
16 9300원		**17** ③	**18** 38개	**19** ②
20 11	**21** ③	**22** 5바퀴	**23** ④	**24** 20일
25 ④	**26** 178명	**27** 60, 120, 180, 360		**28** 14, 42
29 65	**30** ③	**31** ①, ③		

1 소수를 작은 것부터 나열하면
2, 3, 5, 7, 11, 13, 17, …
따라서 a의 값이 될 수 있는 수는 13, 14, 15, 16의 4개이다.

2 n의 모든 약수의 합이 $1+n$이므로 n의 약수는 1, n이다.
따라서 n은 20보다 작은 소수이므로
2, 3, 5, 7, 11, 13, 17, 19의 8개이다.

3 $3^1=3$, $3^2=9$, $3^3=27$, $3^4=81$, $3^5=243$, …이므로 3의 거듭제곱의 일의 자리의 숫자는 3, 9, 7, 1의 순서로 반복된다.
이때 $2018=4\times504+2$이므로 3^{2018}의 일의 자리의 숫자는 3^2의 일의 자리의 숫자와 같은 9이다.

4 10보다 작은 소수는 2, 3, 5, 7이고 $E=B+D$이므로
(i) $B=2$, $D=3$ 또는 $B=3$, $D=2$일 때
$E=2+3=5$이므로

$$A<_{\ C\ <_{\ 5}^{\ 3}}^{\ 2}\ \ \text{또는}\ \ A<_{\ C\ <_{\ 5}^{\ 2}}^{\ 3}$$

∴ $A=2\times3\times5=30$

(ii) $B=2$, $D=5$ 또는 $B=5$, $D=2$일 때
$E=2+5=7$이므로

$$A<_{\ C\ <_{\ 7}^{\ 5}}^{\ 2}\ \ \text{또는}\ \ A<_{\ C\ <_{\ 7}^{\ 2}}^{\ 5}$$

∴ $A=2\times5\times7=70$
따라서 (i), (ii)에 의해 A의 값은 30 또는 70이다.

5 두 사람이 뽑은 카드에 적힌 수의 곱이 될 수 있는 수는 2, 3, 7 중에서 소인수를 가지며 모든 소인수의 지수가 4 이하인 수이다.
① $12=2^2\times3$ ② $48=2^4\times3$ ③ $56=2^3\times7$
④ $63=3^2\times7$ ⑤ $96=2^5\times3$
따라서 두 사람이 뽑은 카드에 적힌 수의 곱이 될 수 없는 수는 ⑤이다.

6 $135=3^3\times5$이므로 곱해야 하는 자연수는 $3\times5\times(\text{자연수})^2$의 꼴인 수이다.
즉, $3\times5\times1^2$, $3\times5\times2^2$, $3\times5\times3^2$, …이므로
$a=3\times5\times1^2=15$
$b=3\times5\times2^2=60$
∴ $b-a=60-15=45$

7 $\dfrac{200}{a}=\dfrac{2^3\times5^2}{a}$이므로
$a=2$, $2^3(=8)$, $2\times5^2(=50)$, $2^3\times5^2(=200)$
따라서 모든 a의 값의 합은
$2+8+50+200=260$

8 $\dfrac{225}{n}$가 자연수가 되려면 n은 225의 약수이어야 한다.
따라서 $225=3^2\times5^2$이므로 225의 약수의 총합은 오른쪽 표에서
$1+3+5+9+15+25$
$\quad+45+75+225=403$

×	1	3	3^2
1	1	3	9
5	5	15	45
5^2	25	75	225

9 ① □=18일 때, $2^2\times18=2^3\times3^2$의 약수의 개수는
$(3+1)\times(2+1)=12$(개)
② □=27일 때, $2^2\times27=2^2\times3^3$의 약수의 개수는
$(2+1)\times(3+1)=12$(개)
③ □=77일 때, $2^2\times77=2^2\times7\times11$의 약수의 개수는
$(2+1)\times(1+1)\times(1+1)=12$(개)
④ □=196일 때, $2^2\times196=2^4\times7^2$의 약수의 개수는
$(4+1)\times(2+1)=15$(개)
⑤ □=512일 때, $2^2\times512=2^{11}$의 약수의 개수는
$11+1=12$(개)
따라서 □ 안에 들어갈 수 없는 수는 ④이다.

10 (가)에서 $N=2^a\times3^b\times7^c$ (a, b, c는 자연수)라 하면
(나)에서 $12=(a+1)\times(b+1)\times(c+1)$

(ⅰ) $12=3\times2\times2$일 때

$\quad N=2^2\times3\times7=84$

(ⅱ) $12=2\times3\times2$일 때

$\quad N=2\times3^2\times7=126$

(ⅲ) $12=2\times2\times3$일 때

$\quad N=2\times3\times7^2=294$

따라서 (ⅰ)~(ⅲ)에 의해 ㈐를 만족시키는 자연수 N의 값은 84, 126이므로 가장 큰 수는 126이다.

11 약수가 6개인 자연수는 다음의 두 가지 꼴이다.

(ⅰ) a^5 (a는 소수)의 꼴

　이 중 가장 작은 자연수는 $2^5=32$

(ⅱ) $b^2\times c$ (b, c는 서로 다른 소수)의 꼴

　이 중 가장 작은 자연수는 $2^2\times3=12$

따라서 (ⅰ), (ⅱ)에 의해 가장 작은 수는 12이다.

12 약수가 3개인 수는 (소수)^{2}의 꼴인 수이다.

이때 $100=10^2$이므로 구하는 수는 10보다 작은 소수의 제곱인 수이다.

따라서 100 이하의 자연수 중에서 약수가 3개인 수는 2^2, 3^2, 5^2, 7^2, 즉 4, 9, 25, 49의 4개이다.

13 $72=6\times12$, $126=6\times21$이고 세 자연수의 최대공약수가 6이므로 구하는 수는 6의 배수이면서 18의 배수는 아니다.

6의 배수 중에서 50 이하의 자연수를 모두 구하면

6, $\underline{12(=6\times2)}$, $18(=6\times3)$, $\underline{24(=6\times4)}$, $\underline{30(=6\times5)}$, $36(=6\times6)$, $\underline{42(=6\times7)}$, $\underline{48(=6\times8)}$

따라서 a의 값이 될 수 있는 수는 6, 12, 24, 30, 42, 48의 6개이다.

14 두 자연수 24와 a의 공약수가 1개이므로 24와 a는 서로소이다.

$24=2^3\times3$이므로 a는 2와 3을 소인수로 갖지 않는 수이다.

즉, a는 2의 배수도 아니고 3의 배수도 아닌 수이다.

따라서 1보다 크고 100 이하인 자연수 중에서 2의 배수는 50개, 3의 배수는 33개이고 이 중에서 공통인 수는 6의 배수 16개이므로 a의 값이 될 수 있는 수의 개수는

$99-(50+33-16)=32$(개)

15 세 수의 최대공약수가 $2^2\times3^2\times7$이므로 $2^2\times3^2\times7$은 A의 약수이어야 한다.

① $(2^2\times3^2\times7)\times7$

② $(2^2\times3^2\times7)\times2\times3^2$

③ $(2^2\times3^2\times7)\times5$

④ $(2^2\times3^2\times7)\times3\times5$

⑤ $2^2\times3^2\times7$은 $2^3\times3\times7$의 약수가 아니다.

따라서 A의 값이 될 수 없는 것은 ⑤이다.

16 세트를 가능한 한 많이 만들려고 하므로 세트의 개수는 72, 54, 126의 최대공약수인 $2\times3^2=18$(개)이다.

즉, 한 세트에 들어가는 칫솔, 치약, 비누의 개수는

칫솔: $72\div18=4$(개)

치약: $54\div18=3$(개)

비누: $126\div18=7$(개)

$$
\begin{array}{r|ccc}
2 & 72 & 54 & 126 \\
3 & 36 & 27 & 63 \\
3 & 12 & 9 & 21 \\
\hline
 & 4 & 3 & 7
\end{array}
$$

따라서 한 세트의 가격은

$700\times4+1000\times3+500\times7=9300$(원)

17 가장 큰 정사각형의 한 변의 길이는 54와 90의 최대공약수인 $2\times3^2=18$(cm)이다.

따라서 만들어질 수 있는 정사각형의 한 변의 길이는 18의 약수이므로

$1\,\text{cm}$, $2\,\text{cm}$, $3\,\text{cm}$, $6\,\text{cm}$, $9\,\text{cm}$, $18\,\text{cm}$

$$
\begin{array}{r|cc}
2 & 54 & 90 \\
3 & 27 & 45 \\
3 & 9 & 15 \\
\hline
 & 3 & 5
\end{array}
$$

이 중에서 넓이가 $50\,\text{cm}^2$ 이상 $100\,\text{cm}^2$ 이하인 정사각형의 한 변의 길이는 $9\,\text{cm}$이다.

즉, 가로, 세로에 만들어지는 정사각형의 개수는

가로: $54\div9=6$(개), 세로: $90\div9=10$(개)

따라서 만들어지는 정사각형의 개수는 $6\times10=60$(개)

18 가로등을 가능한 한 적게 세우려면 가로등 사이의 간격이 최대가 되어야 하므로 가로등 사이의 간격은 384와 224의 최대공약수이다.

384와 224의 최대공약수는 $2^5=32$이므로 $32\,\text{m}$ 간격으로 가로등을 설치해야 한다.

$$
\begin{array}{r|cc}
2 & 384 & 224 \\
2 & 192 & 112 \\
2 & 96 & 56 \\
2 & 48 & 28 \\
2 & 24 & 14 \\
\hline
 & 12 & 7
\end{array}
$$

즉, 가로, 세로에 필요한 가로등의 개수는

가로: $384\div32+1=13$(개), 세로: $224\div32+1=8$(개)

이때 공원의 네 모퉁이에서 가로등이 두 번씩 겹치므로 필요한 가로등의 개수는

$(13+8)\times2-4=38$(개)

19 되도록 많은 학생들에게 똑같이 나누어 주려고 하므로 구하는 학생 수는 $19+5=24$, $86-2=84$, $45+3=48$의 최대공약수이다.

$$
\begin{array}{r|ccc}
2 & 24 & 84 & 48 \\
2 & 12 & 42 & 24 \\
3 & 6 & 21 & 12 \\
\hline
 & 2 & 7 & 4
\end{array}
$$

따라서 최대공약수는 $2^2\times3=12$이므로 학생 수는 12명이다.

20

$$
\begin{array}{cccc}
 & 2^a & \times\ 3^3 & \times\ 5^3 \\
 & 2^3 & \times\ 3^4 & \times\ b \\
 & 2^2 & \times\ 3^c & \times\ 5^2 \\
\hline
(\text{최대공약수})= & 2^2 & \times\ 3^2 & \times\ 5 \\
(\text{최소공배수})= & 2^4 & \times\ 3^4 & \times\ 5^3 \\
 & \Downarrow & \Downarrow & \Downarrow \\
 & a=4 & c=2 & b=5
\end{array}
$$

$\therefore a+b+c=4+5+2=11$

21 세 자연수를 각각 $2 \times k$, $3 \times k$, $6 \times k$ (k는 자연수)라 하면

$$\begin{array}{r|rrr} k & 2\times k & 3\times k & 6\times k \\ \hline 2 & 2 & 3 & 6 \\ \hline 3 & 1 & 3 & 3 \\ \hline & 1 & 1 & 1 \end{array}$$

(최소공배수)$=108=k \times 2 \times 3$

∴ $k=18$

따라서 세 자연수는 36, 54, 108이므로 두 번째로 큰 수는 54이다.

22 12와 20의 최소공배수는

$$\begin{array}{r|rr} 2 & 12 & 20 \\ \hline 2 & 6 & 10 \\ \hline & 3 & 5 \end{array}$$

$2^2 \times 3 \times 5 = 60$

따라서 두 톱니바퀴가 같은 톱니에서 처음으로 다시 맞물리려면 톱니의 수가 12개인 톱니바퀴는 $60 \div 12 = 5$(바퀴)를 회전해야 한다.

23 4일마다 조깅을, 6일마다 줄넘기를 하고, 토요일은 7일마다 돌아오므로 조깅과 줄넘기를 함께 하는 토요일 사이의 간격은 4, 6, 7의 공배수이다.

따라서 4, 6, 7의 최소공배수는

$$\begin{array}{r|rrr} 2 & 4 & 6 & 7 \\ \hline & 2 & 3 & 7 \end{array}$$

$2^2 \times 3 \times 7 = 84$이므로 두 가지 운동을 다시 처음으로 함께 하게 되는 토요일은 84일 후이다.

24 4와 7의 최소공배수인 28일 동안 희진이는 4일째, 8일째, 12일째, 16일째, 20일째, 24일째, 28일째에 쉬고, 나윤이는 6일째, 7일째, 13일째, 14일째, 20일째, 21일째, 27일째, 28일째에 쉰다.

즉, 28일 동안 함께 쉬는 날은 20일째, 28일째의 이틀이다.

따라서 290일 동안 두 사람이 함께 쉬는 날은 $290 = 28 \times 10 + 10$이므로 $10 \times 2 = 20$(일)이다.

25 정육면체의 한 모서리의 길이는 6, 8, 12의 공배수이고, 6, 8, 12의 최소공배수는

$$\begin{array}{r|rrr} 2 & 6 & 8 & 12 \\ \hline 2 & 3 & 4 & 6 \\ \hline 3 & 3 & 2 & 3 \\ \hline & 1 & 2 & 1 \end{array}$$

$2^3 \times 3 = 24$이므로 정육면체의 한 모서리의 길이는 24 cm, 48 cm, 72 cm, $\cdots$이다.

(i) 한 모서리의 길이가 24 cm인 정육면체를 만들 때 필요한 블록의 개수는

가로: $24 \div 6 = 4$(개)

세로: $24 \div 8 = 3$(개)

높이: $24 \div 12 = 2$(개)

∴ $4 \times 3 \times 2 = 24$(개)

(ii) 한 모서리의 길이가 48 cm인 정육면체를 만들 때 필요한 블록의 개수는

가로: $48 \div 6 = 8$(개)

세로: $48 \div 8 = 6$(개)

높이: $48 \div 12 = 4$(개)

∴ $8 \times 6 \times 4 = 192$(개)

(iii) 한 모서리의 길이가 72 cm인 정육면체를 만들 때 필요한 블록의 개수는

가로: $72 \div 6 = 12$(개)

세로: $72 \div 8 = 9$(개)

높이: $72 \div 12 = 6$(개)

∴ $12 \times 9 \times 6 = 648$(개)

따라서 (i)~(iii)에 의해 300개의 블록으로 정육면체를 만들 때, 최대로 사용 가능한 블록의 개수는 192개이다.

26 4명씩 배정하면 2명이 남고, 6명씩 배정하면 4명이 남는다는 것은 각각 2명이 부족하다는 것을 의미한다.

즉, 학생 수로 가능한 수는

(4, 5, 6의 공배수)-2

4, 5, 6의 최소공배수는

$$\begin{array}{r|rrr} 2 & 4 & 5 & 6 \\ \hline & 2 & 5 & 3 \end{array}$$

$2^2 \times 5 \times 3 = 60$이므로 공배수는

60, 120, 180, 240, $\cdots$

이때 학생 수는 150명 이상 200명 미만이므로

$180 - 2 = 178$(명)

27 N을 12로 나눈 몫을 n이라 하면

$$\begin{array}{r|rrr} 12 & 24 & 36 & N \\ \hline & 2 & 3 & n \end{array}$$

$360 = 12 \times (2 \times 3 \times 5)$이므로 n의 값은

5, 2×5, 3×5, $2 \times 3 \times 5$

따라서 N의 값은

$12 \times 5 = 60$, $12 \times 10 = 120$,

$12 \times 15 = 180$, $12 \times 30 = 360$

28 $<a, 8> = 2$이므로 a는 2의 배수이면서 4의 배수는 아니다.

$[a, 12] = 84 = 12 \times 7$이므로 a는 84의 약수이면서 7의 배수이다.

따라서 84의 약수 1, 2, 3, 4, 6, 7, 12, 14, 21, 28, 42, 84 중에서 위의 두 조건을 모두 만족시키는 자연수 a의 값은 14, 42이다.

29 $\dfrac{b}{a} = \dfrac{(12, 18, 24의 최소공배수)}{(7, 35, 49의 최대공약수)} = \dfrac{72}{7}$

따라서 $a = 7$, $b = 72$이므로

$b - a = 72 - 7 = 65$

30 두 자연수를 $12 \times a$, $12 \times b$ (a, b는 서로소)라 하면

$12 \times a \times b = 180$ ∴ $a \times b = 15$

(i) $a = 1$, $b = 15$ 또는 $a = 15$, $b = 1$이면

두 수는 12와 180이므로 두 수의 합은

$12 + 180 = 192$

(ii) $a = 3$, $b = 5$ 또는 $a = 5$, $b = 3$이면

두 수는 36과 60이므로 두 수의 합은

$36 + 60 = 96$

따라서 (i), (ii)에 의해 두 자연수의 합 중에서 가장 작은 수는 96이다.

31 $A = 6 \times a$, $B = 6 \times b$ (a, b는 서로소, $a > b$)라 하면

$A + B = 6 \times a + 6 \times b = 6 \times (a + b)$이므로

$6 \times (a + b) = 30$

∴ $a + b = 5$

(ⅰ) $a=4$, $b=1$일 때

　　$A=24$, $B=6$이므로 최소공배수는 24

(ⅱ) $a=3$, $b=2$일 때

　　$A=18$, $B=12$이므로 최소공배수는 36

따라서 (ⅰ), (ⅱ)에 의해 A, B의 최소공배수가 될 수 있는 것은 24, 36이다.

P. 15　내신 **1%** 뛰어넘기

01 6개	**02** 2	**03** 45	**04** 300회	**05** 3

01 길잡이 N을 소인수분해한 형태로 나타낸 후 $N<100$인 수를 찾는다.

$<N>$$=3$이므로

$N=2^3 \times k$ (단, k는 2와 서로소인 자연수)

이때 $N=2^3 \times k<100$이므로

$k=1$, 3, 5, 7, 9, 11

따라서 자연수 N은 8, 24, 40, 56, 72, 88의 6개이다.

02 길잡이 네 자리의 자연수 $6a34$가 3의 배수임을 이용하여 a의 값이 될 수 있는 수를 찾는다.

$6a34$가 3의 배수이려면 $6+a+3+4=13+a$가 3의 배수이어야 한다.

∴ $a=2$, 5, 8

(ⅰ) $a=2$일 때

　　$2^2 \times 3^3 \times 2 = 2^3 \times 3^3$이므로 약수의 개수는

　　$(3+1) \times (3+1) = 16$(개)

(ⅱ) $a=5$일 때

　　$2^2 \times 3^3 \times 5$이므로 약수의 개수는

　　$(2+1) \times (3+1) \times (1+1) = 24$(개)

(ⅲ) $a=8$일 때

　　$2^2 \times 3^3 \times 8 = 2^5 \times 3^3$이므로 약수의 개수는

　　$(5+1) \times (3+1) = 24$(개)

따라서 (ⅰ)~(ⅲ)에 의해 조건을 만족시키는 a의 값은 2이다.

참고 3의 배수는 각 자리의 숫자의 합이 3의 배수이다.

03 길잡이 두 자연수 A, B의 최대공약수가 G이면 $A=G \times a$, $B=G \times b$ (a, b는 서로소)임을 이용한다.

㈏에서 $120=15 \times 8$, $N=15 \times n$(8과 n은 서로소)이라 하면

㈐에서 $120+N=15 \times 8 + 15 \times n = 15 \times (8+n)$이 11의 배수이므로 $8+n$이 11의 배수이어야 한다.

즉, $8+n=11$, 22, 33, …이고 n은 8과 서로소이므로

$n=3$, 25, …

이때 ㈎에서 N은 두 자리의 자연수이므로 $n=3$

∴ $N=15 \times 3 = 45$

04 길잡이 세 점 A, B, C가 한 바퀴 도는 데 걸리는 시간을 각각 구한다.

점 A가 한 바퀴 도는 데는 $\dfrac{3}{45}=\dfrac{1}{15}$(분), 즉 4초가 걸리고,

점 B가 한 바퀴 도는 데는 $\dfrac{3}{60}=\dfrac{1}{20}$(분), 즉 3초가 걸리며,

점 C가 한 바퀴 도는 데는 $\dfrac{3}{90}=\dfrac{1}{30}$(분), 즉 2초가 걸린다.

그러므로 세 점 A, B, C가 점 P에서 동시에 출발한 후 처음으로 다시 점 P를 동시에 통과하는 데는 4, 3, 2의 최소공배수인

$$2 \overline{)\ 4 \quad 3 \quad 2\ }$$
$$2 \quad 3 \quad 1$$

$2^2 \times 3 = 12$(초)가 걸린다.

따라서 세 점 A, B, C가 1시간, 즉 3600초 동안 점 P를 동시에 통과하는 횟수는

$3600 \div 12 = 300$(회)

05 길잡이 두 자연수 A, B의 최대공약수를 G라 할 때, $A=G \times a$, $B=G \times b(a$, b는 서로소, $a>b)$라 한 후 주어진 조건을 이용하여 A, B의 값을 구한다.

두 자연수 A, B의 최대공약수를 G, 최소공배수를 L이라 할 때, $A=G \times a$, $B=G \times b(a$, b는 서로소, $a>b)$라 하자.

$L=G \times a \times b$이므로

$\dfrac{L}{G}=\dfrac{G \times a \times b}{G}=a \times b=6$

이때 a, b는 서로소이고 $a>b$이므로 $a=3$, $b=2$ 또는 $a=6$, $b=1$이다.

(ⅰ) $a=3$, $b=2$일 때

　　$A=3 \times G$, $B=2 \times G$

　　$A+B=3 \times G + 2 \times G = (3+2) \times G = 5 \times G = 15$

　　이므로 $G=3$

　　∴ $A=9$, $B=6$

(ⅱ) $a=6$, $b=1$일 때

　　$A=6 \times G$, $B=G$

　　$A+B=6 \times G + G = (6+1) \times G = 7 \times G = 15$

　　그런데 이를 만족시키는 자연수 G는 존재하지 않는다.

따라서 (ⅰ), (ⅱ)에 의해 $A=9$, $B=6$이므로

$A-B=9-6=3$

1 ③	**2** 7	**3** $-4.1,\ -\dfrac{4}{3},\ +1.9$	**4** ③
5 $-7,\ 1$	**6** 11	**7** ⑤	**8** ②	**9** 7개
10 ㉠ 덧셈의 교환법칙, ㉡ 덧셈의 결합법칙			**11** ④
12 4	**13** $-\dfrac{3}{28}$	**14** ②	**15** 0	**16** -2
17 $\dfrac{1}{2}$	**18** ⑤	**19** ④	**20** $\dfrac{29}{6}$

1 ① 10 kg 감량　　　⇨ $-10\,\mathrm{kg}$

② 5분 전　　　　　⇨ -5분

③ 영상 15 ℃　　　⇨ $+15\,℃$

④ 9000원을 썼다. ⇨ -9000원

⑤ 5점을 실점　　　⇨ -5점

따라서 부호가 나머지 넷과 다른 하나는 ③이다.

2 자연수는 $+6,\ \dfrac{21}{3}(=7)$의 2개이므로 $a=2$

음의 정수는 -4의 1개이므로 $b=1$

정수는 $-4,\ 0,\ +6,\ \dfrac{21}{3}(=7)$의 4개이므로 $c=4$

∴ $a+b+c=2+1+4=7$

3 주어진 수 중에서 정수는 $0,\ \dfrac{8}{2}(=4),\ +5,\ -2$이므로 정수

가 아닌 유리수는 $-4.1,\ -\dfrac{4}{3},\ +1.9$이다.

4 ① 음의 유리수는 0보다 작다.

② 유리수는 양의 유리수, 0, 음의 유리수로 이루어져 있다.

④ 정수는 모두 유리수이다.

⑤ -1과 1 사이에는 무수히 많은 유리수가 존재한다.

5 두 점 사이의 거리가 8이므로 -3에 대응하는 점에서 거리

가 4인 점에 대응하는 두 수는 각각 $-7,\ 1$이다.

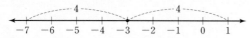

6 $a,\ b$의 절댓값이 같고 두 수에 대응하는 두 점 사이의 거리가

22이므로 a와 b는 절댓값이 $22\times\dfrac{1}{2}=11$인 수이다.

이때 a가 b보다 작으므로 $b=11$이다.

7 ① (음수)<0이므로 $-5<0$

② $|-3|=3$이고 (양수)>0이므로 $|-3|>0$

③ $2\dfrac{4}{5}=2.8$이므로 $3.5>2\dfrac{4}{5}$

④ (음수)<(양수)이므로 $-\dfrac{1}{2}<\dfrac{1}{3}$

⑤ $-\dfrac{2}{3}=-\dfrac{8}{12},\ -\dfrac{3}{4}=-\dfrac{9}{12}$이고 두 음수에서는 절댓값이

큰 수가 작으므로 $-\dfrac{2}{3}>-\dfrac{3}{4}$

따라서 옳은 것은 ⑤이다.

8 ㈎에서 정수 y는 $-3,\ -2,\ -1,\ 0,\ 1,\ 2,\ 3$이다.

㈏에서 정수 y는 $1,\ 2,\ 3$이다.

㈏, ㈐에서 정수 x는 $-12,\ -8,\ -4$이다.

따라서 x의 값이 될 수 있는 것은 ② -4이다.

9 $\dfrac{31}{6}=5.166\cdots$이므로 -1보다 크거나 같고 $5.166\cdots$보다 작

은 정수는 $-1,\ 0,\ 1,\ 2,\ 3,\ 4,\ 5$의 7개이다.

11 ① $(-6)+(-11)+(+1)-(-4)$

$=(-6)+(-11)+(+1)+(+4)$

$=\{(-6)+(-11)\}+\{(+1)+(+4)\}$

$=(-17)+(+5)$

$=-12$

② $(-2)+(-5)-(-13)-(+8)$

$=(-2)+(-5)+(+13)+(-8)$

$=\{(-2)+(-5)+(-8)\}+(+13)$

$=(-15)+(+13)$

$=-2$

③ $\left(+\dfrac{2}{3}\right)-\left(-\dfrac{1}{2}\right)+\left(-\dfrac{1}{4}\right)$

$=\left(+\dfrac{2}{3}\right)+\left(+\dfrac{1}{2}\right)+\left(-\dfrac{1}{4}\right)$

$=\left(+\dfrac{2}{3}\right)+\left\{\left(+\dfrac{2}{4}\right)+\left(-\dfrac{1}{4}\right)\right\}$

$=\left(+\dfrac{2}{3}\right)+\left(+\dfrac{1}{4}\right)$

$=\left(+\dfrac{8}{12}\right)+\left(+\dfrac{3}{12}\right)$

$=+\dfrac{11}{12}$

④ $4.2-(-9.5)-10=4.2+9.5-10$

$=13.7-10=3.7$

⑤ $\dfrac{3}{10}+\dfrac{1}{6}-\dfrac{1}{2}=\dfrac{9}{30}+\dfrac{5}{30}-\dfrac{15}{30}$

$=\dfrac{14}{30}-\dfrac{15}{30}=-\dfrac{1}{30}$

따라서 계산 결과가 가장 큰 것은 ④이다.

12 $a=-3.7+\dfrac{3}{2}=-\dfrac{37}{10}+\dfrac{15}{10}$

$=-\dfrac{22}{10}=-\dfrac{11}{5}$

$b=\dfrac{3}{5}-(-1.2)=\dfrac{3}{5}+1.2$

$=\dfrac{6}{10}+\dfrac{12}{10}=\dfrac{18}{10}=\dfrac{9}{5}$

∴ $b-a=\dfrac{9}{5}-\left(-\dfrac{11}{5}\right)=\dfrac{9}{5}+\dfrac{11}{5}=\dfrac{20}{5}=4$

13 어떤 유리수를 □라 하면

$$\square + \frac{3}{7} = \frac{3}{4}$$

$$\therefore \square = \frac{3}{4} - \frac{3}{7} = \frac{21}{28} - \frac{12}{28} = \frac{9}{28}$$

따라서 바르게 계산하면

$$\frac{9}{28} - \frac{3}{7} = \frac{9}{28} - \frac{12}{28} = -\frac{3}{28}$$

14 $|a| = 3$이므로

$a = 3$ 또는 $a = -3$

$|b| = 6$이므로

$b = 6$ 또는 $b = -6$

(ⅰ) $a = 3$, $b = 6$이면

$a - b = 3 - 6 = -3$

(ⅱ) $a = 3$, $b = -6$이면

$a - b = 3 - (-6) = 9$

(ⅲ) $a = -3$, $b = 6$이면

$a - b = -3 - 6 = -9$

(ⅳ) $a = -3$, $b = -6$이면

$a - b = -3 - (-6) = 3$

따라서 (ⅰ)~(ⅳ)에 의해 $a - b$의 값이 될 수 없는 것은 ②이다.

15 $(-1)^{97} - (-1)^{98} - (-1)^{99} + (-1)^{100}$

$= (-1) - (+1) - (-1) + (+1)$

$= -1 - 1 + 1 + 1 = 0$

참고 $(-1)^{(홀수)} = -1$, $(-1)^{(짝수)} = +1$

16 $a \times (b - c) = a \times b - a \times c$

$= 3 - 5 = -2$

17 $-\frac{3}{11}$의 역수는 $-\frac{11}{3}$ $\therefore a = -\frac{11}{3}$

$0.24 = \frac{24}{100} = \frac{6}{25}$이므로 0.24의 역수는 $\frac{25}{6}$

$\therefore b = \frac{25}{6}$

$\therefore a + b = -\frac{11}{3} + \frac{25}{6}$

$= -\frac{22}{6} + \frac{25}{6} = \frac{3}{6} = \frac{1}{2}$

18 ① 절댓값이 큰 쪽의 부호를 따르므로 부호는 알 수 없다.

② $-a + b = (-a) + b$이고 $-a < 0$, $b < 0$이므로

$-a + b < 0$

③ $a > 0$, $b < 0$이므로

$a \times b < 0$

④ $a > 0$, $b < 0$이므로

$a \div b < 0$

⑤ $-a < 0$, $b < 0$이므로

$b \div (-a) > 0$

따라서 항상 양수인 것은 ⑤이다.

19 ① $(+12) \div (-4) \times (-2) = (+12) \times \left(-\frac{1}{4}\right) \times (-2)$

$= + \left(12 \times \frac{1}{4} \times 2\right) = +6$

② $\left(-\frac{5}{6}\right) \div \left(+\frac{4}{3}\right) \times (-12) = \left(-\frac{5}{6}\right) \times \left(+\frac{3}{4}\right) \times (-12)$

$= + \left(\frac{5}{6} \times \frac{3}{4} \times 12\right) = +\frac{15}{2}$

③ $\left(-\frac{3}{2}\right) \times \left(+\frac{1}{3}\right) \div \left(+\frac{1}{4}\right) = \left(-\frac{3}{2}\right) \times \left(+\frac{1}{3}\right) \times (+4)$

$= -\left(\frac{3}{2} \times \frac{1}{3} \times 4\right) = -2$

④ $\left(+\frac{4}{9}\right) \div \left(-\frac{1}{3}\right) \times \left(+\frac{1}{2}\right) = \left(+\frac{4}{9}\right) \times (-3) \times \left(+\frac{1}{2}\right)$

$= -\left(\frac{4}{9} \times 3 \times \frac{1}{2}\right) = -\frac{2}{3}$

⑤ $\left(-\frac{3}{7}\right) \div \left(+\frac{3}{14}\right) \div \left(+\frac{2}{5}\right)$

$= \left(-\frac{3}{7}\right) \times \left(+\frac{14}{3}\right) \times \left(+\frac{5}{2}\right)$

$= -\left(\frac{3}{7} \times \frac{14}{3} \times \frac{5}{2}\right) = -5$

따라서 계산 결과가 옳지 않은 것은 ④이다.

20 $2 - \left\{\left(\frac{5}{6}\right)^2 \div \frac{1}{2} - \left(-\frac{2}{3}\right)^2\right\} \times (-3)$

$= 2 - \left(\frac{25}{36} \times 2 - \frac{4}{9}\right) \times (-3)$

$= 2 - \left(\frac{25}{18} - \frac{8}{18}\right) \times (-3)$

$= 2 - \frac{17}{18} \times (-3) = 2 + \frac{17}{6}$

$= \frac{12}{6} + \frac{17}{6} = \frac{29}{6}$

P. 22~27 **내신 5% 따라잡기**

1 ③	**2** ③	**3** ⑤	**4** 6개
5 $a = -10$, $b = 5$		**6** C	**7** $a = 2$, $b = -4$
8 ②	**9** ③	**10** $-\frac{7}{8}$ **11** 38	**12** ③
13 ④	**14** ①	**15** ㉠ +, ㉡ −, ㉢ −	
16 3권	**17** 4	**18** ㉠ $\frac{19}{12}$, ㉡ $\frac{7}{3}$	**19** ②
20 $\frac{5}{6}$	**21** $\frac{1}{9}$	**22** ④	**23** $M = 2$, $m = -9$
24 ⑤	**25** $\frac{1}{500}$	**26** ①	**27** ③ **28** $-\frac{15}{8}$
29 ③	**30** ①	**31** ②	**32** ④ **33** ①
34 $-\frac{7}{6}$	**35** $\frac{1}{24}$	**36** 0	**37** ① **38** -13
39 2			

1 ③ 0.3인치 더 크고 ⇨ $+0.3$인치

2 ① 양수는 $\dfrac{9}{2}$, 11, $+\dfrac{6}{3}$의 3개이다.

② 음수는 -5, -4.7, $-\dfrac{3}{7}$의 3개이다.

③ 정수는 -5, 0, 11, $+\dfrac{6}{3}(=+2)$의 4개이다.

④ 주어진 수는 모두 유리수이므로 유리수는 7개이다.

⑤ 정수가 아닌 유리수는 $\dfrac{9}{2}$, -4.7, $-\dfrac{3}{7}$의 3개이다.

따라서 옳지 않은 것은 ③이다.

3 ① 가장 작은 양의 정수는 1이다.

② 유리수는 양수, 0, 음수로 나눌 수 있다.

③ 두 음수에서는 절댓값이 큰 수가 더 작다.

④ 0은 유리수이다.

⑤ 절댓값이 3 이하인 정수는 -3, -2, -1, 0, 1, 2, 3의 7개이다.

따라서 옳은 것은 ⑤이다.

4 (ⅰ) $|a|=3$, $|b|=0$일 때
$a<b$이므로 $(-3, 0)$

(ⅱ) $|a|=0$, $|b|=3$일 때
$a<b$이므로 $(0, 3)$

(ⅲ) $|a|=1$, $|b|=2$일 때
$a<b$이므로 $(1, 2)$, $(-1, 2)$

(ⅳ) $|a|=2$, $|b|=1$일 때
$a<b$이므로 $(-2, 1)$, $(-2, -1)$

따라서 (ⅰ)~(ⅳ)에 의해 조건을 만족시키는 (a, b)의 개수는
$1+1+2+2=6$(개)

5 ㈎, ㈏에서 $a<0<b$이고 $|a|=2|b|$이므로
이를 수직선 위에 나타내면 다음 그림과 같다.

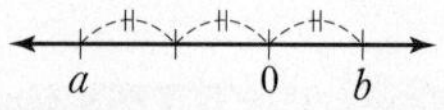

이때 ㈐에서 a와 b에 대응하는 두 점 사이의 거리는 15이므로 3등분한 길이는 5이다.
$\therefore a=-10$, $b=5$

6 $-1<-\dfrac{1}{4}$이므로 재원이는 $-\dfrac{1}{4}$이 있는 오른쪽 길로 간다.

$-\dfrac{1}{2}<-\dfrac{1}{3}$이므로 재원이는 $-\dfrac{1}{3}$이 있는 왼쪽 길로 간다.

따라서 재원이가 나오는 곳은 C이다.

7 $2\le|x|<6$이면 $|x|=2$, 3, 4, 5이므로 이를 만족시키는 정수 x는 -5, -4, -3, -2, 2, 3, 4, 5이다.

또 $-5<x<3$을 만족시키는 정수 x는 -4, -3, -2, -1, 0, 1, 2이다.

따라서 두 부등식을 모두 만족시키는 정수 x는 -4, -3, -2, 2이다.
$\therefore a=2$, $b=-4$

8 $\dfrac{1}{3}=\dfrac{5}{15}$, $\dfrac{4}{5}=\dfrac{12}{15}$이므로 $\dfrac{5}{15}$와 $\dfrac{12}{15}$ 사이에 있는 유리수 중에서 분모가 15인 기약분수는 $\dfrac{7}{15}$, $\dfrac{8}{15}$, $\dfrac{11}{15}$의 3개이다.

9 ㈐에서 두 점 A, D는 0을 나타내는 점의 오른쪽에 있으므로
$a>0$, $d>0$

이때 ㈏에서 점 A는 점 D보다 왼쪽에 있으므로
$0<a<d$

㈎에서 두 점 A, C는 절댓값이 같고 부호가 반대이므로
$c<0$

㈐에서 점 B는 0을 나타내는 점에 가장 가까이 있으므로
$c<b<a$

$\therefore c<b<a<d$

10 ㈎에서 $-\dfrac{17}{6}=-2\dfrac{5}{6}$이므로 $a=-3$

㈏에서 $b=-\dfrac{3}{8}+4=-\dfrac{3}{8}+\dfrac{32}{8}=\dfrac{29}{8}$

㈐에서 $c=-3-\left(-\dfrac{3}{2}\right)=-\dfrac{6}{2}+\dfrac{3}{2}=-\dfrac{3}{2}$

$\therefore a+b+c=-3+\dfrac{29}{8}+\left(-\dfrac{3}{2}\right)$

$\qquad=-\dfrac{24}{8}+\dfrac{29}{8}-\dfrac{12}{8}=-\dfrac{7}{8}$

11 $|x|=12$이므로 $x=12$ 또는 $x=-12$
$|y|=7$이므로 $y=7$ 또는 $y=-7$
$M=12-(-7)=19$, $m=-12-7=-19$
$\therefore M-m=19-(-19)=38$

12 $\dfrac{1}{3}-\dfrac{1}{2}=\dfrac{2}{6}-\dfrac{3}{6}=-\dfrac{1}{6}$, $\left|-\dfrac{1}{6}\right|<\left|\dfrac{1}{5}\right|$이므로
$\left(\dfrac{1}{3}-\dfrac{1}{2}\right)\triangledown\dfrac{1}{5}=\dfrac{1}{5}$

또 $\dfrac{1}{6}-\dfrac{1}{4}=\dfrac{2}{12}-\dfrac{3}{12}=-\dfrac{1}{12}$, $\left|\dfrac{1}{5}\right|>\left|-\dfrac{1}{12}\right|$

$\therefore \left\{\left(\dfrac{1}{3}-\dfrac{1}{2}\right)\triangledown\dfrac{1}{5}\right\}\triangle\left(\dfrac{1}{6}-\dfrac{1}{4}\right)=\dfrac{1}{5}\triangle\left(-\dfrac{1}{12}\right)$

$\qquad\qquad=-\dfrac{1}{12}$

13 $[3.2]=3$, $[-4.6]=-5$, $[-5]=-5$이므로
$[3.2]-[-4.6]+[-5]=3-(-5)+(-5)=3$

14 $a=1+3+5+\cdots+2015+2017$
$b=2+4+6+\cdots+2016+2018$
$\therefore a-b=(1+3+5+\cdots+2015+2017)$
$\qquad\qquad-(2+4+6+\cdots+2016+2018)$
$\qquad=(1-2)+(3-4)+(5-6)$
$\qquad\qquad+\cdots+(2015-2016)+(2017-2018)$
$\qquad=(-1)\times1009=-1009$

15 ㉠을 −라 하면

$$(-10)-(+5)\boxed{㉡}(-3)\boxed{㉢}(+7)=-9$$

$$(-15)\boxed{㉡}(-3)\boxed{㉢}(+7)=-9$$

이때 ㉡, ㉢과 상관없이 식이 성립하지 않는다.

∴ ㉠ +

또 ㉡을 +라 하면

$$(-10)+(+5)+(-3)\boxed{㉢}(+7)=-9$$

$$(-8)\boxed{㉢}(+7)=-9$$

이때 ㉢과 상관없이 식이 성립하지 않는다.

∴ ㉡ −

따라서 ㉢은

$$(-10)+(+5)-(-3)\boxed{㉢}(+7)=-9$$

$$(-2)\boxed{㉢}(+7)=-9$$

∴ ㉢ −

16 지혜가 6월에 10권의 책을 읽었으므로 지난달에 읽은 책의 수에 대한 증감을 이용하여 매달 읽은 책의 수를 각각 구하면 다음 표와 같다.

월	1	2	3	4	5	6
책의 수(권)	3	6	5	7	8	10

따라서 1월에 읽은 책의 수는 3권이다.

17 주어진 전개도를 접어 정육면체를 만들었을 때

(ⅰ) a와 마주 보는 면에 적힌 수는 −3이므로

$a+(-3)=-1$ ∴ $a=2$

(ⅱ) b와 마주 보는 면에 적힌 수는 4이므로

$b+4=-1$ ∴ $b=-5$

(ⅲ) c와 마주 보는 면에 적힌 수는 6이므로

$c+6=-1$ ∴ $c=-7$

따라서 (ⅰ)~(ⅲ)에 의해

$a+b-c=2+(-5)-(-7)=4$

18 오른쪽 그림과 같이 빈칸에 알맞은 수를 A, B, C, D라 하면

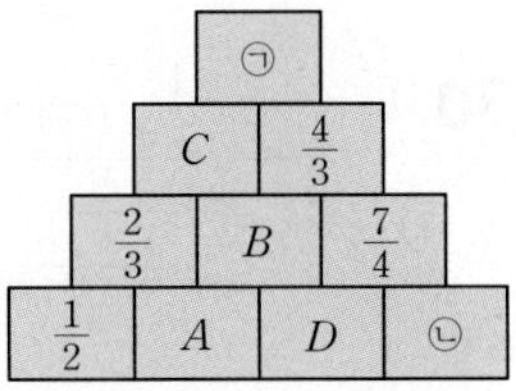

$$\frac{1}{2}+A=\frac{2}{3}$$에서

$$A=\frac{2}{3}-\frac{1}{2}=\frac{4}{6}-\frac{3}{6}=\frac{1}{6}$$

$$B+\frac{7}{4}=\frac{4}{3}$$에서

$$B=\frac{4}{3}-\frac{7}{4}=\frac{16}{12}-\frac{21}{12}=-\frac{5}{12}$$

$$C=\frac{2}{3}+B$$에서

$$C=\frac{2}{3}+\left(-\frac{5}{12}\right)=\frac{8}{12}-\frac{5}{12}=\frac{3}{12}=\frac{1}{4}$$

∴ ㉠$=C+\frac{4}{3}=\frac{1}{4}+\frac{4}{3}=\frac{3}{12}+\frac{16}{12}=\frac{19}{12}$

$A+D=B$에서 $\frac{1}{6}+D=-\frac{5}{12}$이므로

$$D=-\frac{5}{12}-\frac{1}{6}=-\frac{5}{12}-\frac{2}{12}=-\frac{7}{12}$$

$$D+㉡=\frac{7}{4}$$에서 $-\frac{7}{12}+㉡=\frac{7}{4}$

∴ ㉡$=\frac{7}{4}-\left(-\frac{7}{12}\right)=\frac{21}{12}+\frac{7}{12}=\frac{28}{12}=\frac{7}{3}$

19 네 번째 가로줄의 3, 2에 의해 네 번째 가로줄은 오른쪽 방향으로 1만큼씩 감소하고, 세 번째 세로줄의 0, 2에 의해 세 번째 세로줄은 아래쪽 방향으로 2만큼씩 증가하므로 빈칸을 채우면 다음과 같다.

16	6	−4	−14	−24
12	5	−2	−9	−16
8	4	0	−4	−8
4	3	2	1	0
0	2	4	6	8

따라서 $A=16$, $B=-2$, $C=-4$, $D=8$이므로

$A-B+C-D=16-(-2)+(-4)-8=6$

20 $\frac{1}{2}+\frac{1}{6}+\frac{1}{12}+\frac{1}{20}+\frac{1}{30}$

$$=\frac{1}{1\times2}+\frac{1}{2\times3}+\frac{1}{3\times4}+\frac{1}{4\times5}+\frac{1}{5\times6}$$

$$=\left(\frac{1}{1}-\frac{1}{2}\right)+\left(\frac{1}{2}-\frac{1}{3}\right)+\left(\frac{1}{3}-\frac{1}{4}\right)+\left(\frac{1}{4}-\frac{1}{5}\right)$$

$$+\left(\frac{1}{5}-\frac{1}{6}\right)$$

$$=1-\frac{1}{6}=\frac{5}{6}$$

21 다섯 개의 점 A, B, C, D, E를 수직선 위에 나타내면 다음 그림과 같다.

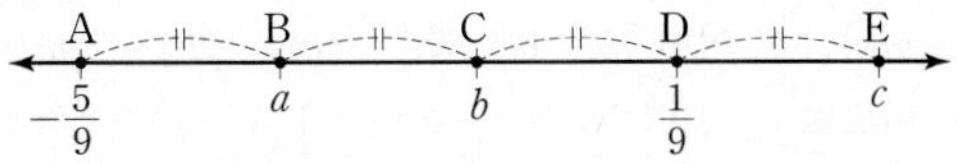

두 점 A, D 사이의 거리는 $\frac{1}{9}-\left(-\frac{5}{9}\right)=\frac{1}{9}+\frac{5}{9}=\frac{6}{9}=\frac{2}{3}$

이므로 두 점 A, B 사이의 거리는 $\frac{2}{3}\times\frac{1}{3}=\frac{2}{9}$이다.

점 A, B, C, D, E 사이의 간격은 모두 같으므로

$$a=-\frac{5}{9}+\frac{2}{9}=-\frac{3}{9}=-\frac{1}{3}$$

$$b=a+\frac{2}{9}=-\frac{1}{3}+\frac{2}{9}=-\frac{3}{9}+\frac{2}{9}=-\frac{1}{9}$$

$$c=\frac{1}{9}+\frac{2}{9}=\frac{3}{9}=\frac{1}{3}$$

∴ $a-b+c=-\frac{1}{3}-\left(-\frac{1}{9}\right)+\frac{1}{3}=\frac{1}{9}$

22 서로 다른 세 음의 정수를 a, b, c라 하면

$a \times b \times c = -12$

이때 $|a| = 2$라 하면 $a = -2 (\because a < 0)$이므로

$b \times c = 6$

$b \times c = 6$을 만족시키는 음의 정수 b, c의 값을 (b, c)로 나타내면

$(-1, -6)$, $(-2, -3)$, $(-3, -2)$, $(-6, -1)$

그런데 세 정수는 서로 다르므로

$b = -1$, $c = -6$ 또는 $b = -6$, $c = -1$

따라서 세 정수의 합은

$(-2) + (-1) + (-6) = -9$

23 a, b가 모두 정수이므로 $|b-a|$도 정수이고 $|b-a| \geq 0$이다.

즉, $a \times |b-a| = -4$를 만족시키는 a는 4의 약수에 음의 부호를 붙인 수이므로

$a = -1$ 또는 $a = -2$ 또는 $a = -4$

(i) $a = -1$일 때, $(-1) \times |b-(-1)| = -4$에서

$\quad |b-(-1)| = 4$이므로

$\quad b+1 = -4$ 또는 $b+1 = 4$

$\quad \therefore b = -5$ 또는 $b = 3$

(ii) $a = -2$일 때, $(-2) \times |b-(-2)| = -4$에서

$\quad |b-(-2)| = 2$이므로

$\quad b+2 = -2$ 또는 $b+2 = 2$

$\quad \therefore b = -4$ 또는 $b = 0$

(iii) $a = -4$일 때, $(-4) \times |b-(-4)| = -4$에서

$\quad |b-(-4)| = 1$이므로

$\quad b+4 = -1$ 또는 $b+4 = 1$

$\quad \therefore b = -5$ 또는 $b = -3$

따라서 (i)~(iii)에 의해 $a+b$의 값이 가장 큰 경우는

$a = -1$, $b = 3$일 때이므로

$M = -1+3 = 2$

또 $a+b$의 값이 가장 작은 경우는

$a = -4$, $b = -5$일 때이므로

$m = -4+(-5) = -9$

24 m이 홀수이면 $m+1$은 짝수, $2m$은 짝수, $2m+3$은 홀수이므로 $(-1)^{m+1} = 1$, $(-1)^{2m} = 1$, $(-1)^{2m+3} = -1$

$\therefore (-1)^{m+1} + (-1)^{2m} - (-1)^{2m+3}$

$\quad = 1+1-(-1) = 3$

25 $\dfrac{468}{1756 \times 234 - 756 \times 234} = \dfrac{468}{(1756-756) \times 234}$

$\qquad\qquad\qquad\qquad\quad = \dfrac{468}{1000 \times 234} = \dfrac{1}{500}$

26 0.5와 마주 보는 면에 적힌 수는 $0.5 = \dfrac{1}{2}$의 역수인 2이다.

$\dfrac{2}{9}$와 마주 보는 면에 적힌 수는 $\dfrac{2}{9}$의 역수인 $\dfrac{9}{2}$이다.

$-\dfrac{1}{4}$과 마주 보는 면에 적힌 수는 $-\dfrac{1}{4}$의 역수인 -4이다.

따라서 이 세 수의 곱은

$2 \times \dfrac{9}{2} \times (-4) = -36$

27 어떤 유리수를 $A(A \neq 0)$라 하면 A의 역수는 $\dfrac{1}{A}$이므로

$\dfrac{1}{A} \div \left(-\dfrac{2}{3}\right) = \dfrac{9}{4}$

$\dfrac{1}{A} = \dfrac{9}{4} \times \left(-\dfrac{2}{3}\right) = -\dfrac{3}{2} \qquad \therefore A = -\dfrac{2}{3}$

따라서 어떤 유리수 A와 $\dfrac{1}{4}$의 곱은

$-\dfrac{2}{3} \times \dfrac{1}{4} = -\dfrac{1}{6}$

28 주어진 네 유리수 중에서 세 수를 뽑아 곱한 값이 가장 크려면 양수 1개, 음수 2개를 곱해야 하고 음수의 절댓값이 클수록 큰 수가 된다.

$\therefore M = \dfrac{5}{4} \times (-4) \times \left(-\dfrac{8}{3}\right) = \dfrac{40}{3}$

세 수를 뽑아 곱한 값이 가장 작으려면 음수 3개를 곱해야 한다.

$\therefore N = (-4) \times \left(-\dfrac{8}{3}\right) \times \left(-\dfrac{2}{3}\right) = -\dfrac{64}{9}$

$\therefore M \div N = \dfrac{40}{3} \div \left(-\dfrac{64}{9}\right)$

$\qquad\qquad = \dfrac{40}{3} \times \left(-\dfrac{9}{64}\right) = -\dfrac{15}{8}$

29 $(-1) \div (+2) \div \left(-\dfrac{3}{2}\right) \div \left(+\dfrac{4}{3}\right) \div \cdots \div \left(-\dfrac{9}{8}\right) \div \left(+\dfrac{10}{9}\right)$

$= (-1) \times \dfrac{1}{2} \times \left(-\dfrac{2}{3}\right) \times \dfrac{3}{4} \times \cdots \times \left(-\dfrac{8}{9}\right) \times \dfrac{9}{10}$

$\qquad\qquad$ 곱해진 음수의 개수: 5개

$= -\dfrac{1}{10}$

30 $1 - \cfrac{1}{2 - \cfrac{1}{2 - \cfrac{1}{2 - \frac{1}{2}}}} = 1 - \cfrac{1}{2 - \cfrac{1}{2 - \cfrac{1}{\frac{3}{2}}}}$

$= 1 - \cfrac{1}{2 - \cfrac{1}{2 - \frac{2}{3}}} = 1 - \cfrac{1}{2 - \cfrac{1}{\frac{4}{3}}}$

$= 1 - \cfrac{1}{2 - \frac{3}{4}} = 1 - \cfrac{1}{\frac{5}{4}}$

$= 1 - \dfrac{4}{5} = \dfrac{1}{5}$

참고 $\dfrac{\frac{A}{B}}{\frac{C}{D}} = \dfrac{A}{B} \div \dfrac{C}{D} = \dfrac{A}{B} \times \dfrac{D}{C} = \dfrac{A \times D}{B \times C}$

31 $a \times c > 0$, $a+c < 0$에서 $a < 0$, $c < 0$

$\dfrac{c}{b} < 0$에서 $c < 0$이므로 $b > 0$

$\therefore a < 0$, $b > 0$, $c < 0$

① $\dfrac{b}{a} < 0$

③ $c-b < 0$

④ $b-c > 0$, $a < 0$이므로 $\dfrac{b-c}{a} < 0$

⑤ $a \times b \times c > 0$

32 ① $a > 0$, $b < 0$이므로 $a-b > 0$

② $a > 0$, $b < 0$이므로 $\dfrac{1}{a} > \dfrac{1}{b}$

③ $a = \dfrac{1}{2}$이라 하면 $a^2 = \left(\dfrac{1}{2}\right)^2 = \dfrac{1}{4}$이므로

$a^2 < a$

④ $b = -\dfrac{1}{2}$이라 하면

$\dfrac{1}{b} = 1 \div \left(-\dfrac{1}{2}\right) = 1 \times (-2) = -2$ $\therefore b > \dfrac{1}{b}$

⑤ $a > 0$, $b < 0$이므로

$\dfrac{b}{a} < 0$, $a-b > 0$ $\therefore \dfrac{b}{a} < a-b$

따라서 항상 옳은 것은 ④이다.

33 어떤 정수를 □라 하면

$(□+3) \times (-2) = 4$

$□+3 = -2$ $\therefore □ = -5$

따라서 바르게 계산하면

$\{-5+(-2)\} \times 3 = (-7) \times 3 = -21$

34 $-\dfrac{3}{4} \div \dfrac{1}{A} = \dfrac{3}{2}$에서 $-\dfrac{3}{4} \times A = \dfrac{3}{2}$

$\therefore A = \dfrac{3}{2} \div \left(-\dfrac{3}{4}\right) = \dfrac{3}{2} \times \left(-\dfrac{4}{3}\right) = -2$

$D + \left(-\dfrac{5}{3}\right) = -\dfrac{10}{9}$에서

$D = -\dfrac{10}{9} - \left(-\dfrac{5}{3}\right)$

$= -\dfrac{10}{9} + \dfrac{15}{9} = \dfrac{5}{9}$

$C \div \dfrac{3}{10} = D$에서 $C \times \dfrac{10}{3} = \dfrac{5}{9}$

$\therefore C = \dfrac{5}{9} \div \dfrac{10}{3} = \dfrac{5}{9} \times \dfrac{3}{10} = \dfrac{1}{6}$

$\dfrac{3}{2} \times B = C$에서 $\dfrac{3}{2} \times B = \dfrac{1}{6}$

$\therefore B = \dfrac{1}{6} \div \dfrac{3}{2} = \dfrac{1}{6} \times \dfrac{2}{3} = \dfrac{1}{9}$

$\therefore A+B+C+D = -2 + \dfrac{1}{9} + \dfrac{1}{6} + \dfrac{5}{9}$

$= -\dfrac{36}{18} + \dfrac{2}{18} + \dfrac{3}{18} + \dfrac{10}{18}$

$= -\dfrac{21}{18} = -\dfrac{7}{6}$

35 $(-2)^3 \div \left(-\dfrac{2}{3}\right)^2 \times □ - \dfrac{1}{2} \div \left(-\dfrac{3}{2}\right) \times \dfrac{21}{4} = 1$에서

$(-8) \div \dfrac{4}{9} \times □ - \dfrac{1}{2} \div \left(-\dfrac{3}{2}\right) \times \dfrac{21}{4} = 1$

$(-8) \times \dfrac{9}{4} \times □ - \dfrac{1}{2} \times \left(-\dfrac{2}{3}\right) \times \dfrac{21}{4} = 1$

$(-18) \times □ + \dfrac{7}{4} = 1$

$(-18) \times □ = 1 - \dfrac{7}{4}$

$(-18) \times □ = -\dfrac{3}{4}$

$\therefore □ = -\dfrac{3}{4} \div (-18)$

$= -\dfrac{3}{4} \times \left(-\dfrac{1}{18}\right) = \dfrac{1}{24}$

36 $A = 6 \times \dfrac{9}{25} \times \left(-\dfrac{5}{9}\right) = -\dfrac{6}{5}$

$B = \dfrac{3}{10} \times \left(\dfrac{1}{2} + \dfrac{3}{2} + \dfrac{9}{4} \times \dfrac{2}{9}\right)$

$= \dfrac{3}{10} \times \left(\dfrac{1}{2} + \dfrac{3}{2} + \dfrac{1}{2}\right)$

$= \dfrac{3}{10} \times \dfrac{5}{2} = \dfrac{3}{4}$

따라서 $A+B = -\dfrac{6}{5} + \dfrac{3}{4} = -\dfrac{24}{20} + \dfrac{15}{20} = -\dfrac{9}{20}$이므로

$<A+B> = \left\langle -\dfrac{9}{20} \right\rangle = 0$

37 민주는 5번 이기고 2번 비기고 3번 졌으므로 민주의 위치는

$5 \times (+3) + 2 \times (-1) + 3 \times (-2) = 15 - 2 - 6 = 7$

재영이는 3번 이기고 2번 비기고 5번 졌으므로 재영이의 위치는

$3 \times (+3) + 2 \times (-1) + 5 \times (-2) = 9 - 2 - 10 = -3$

따라서 민주는 처음 위치보다 7칸 위에 있고, 재영이는 3칸 아래에 있으므로 민주는 재영이보다 10칸 위에 있다.

38 ㉯에서 $A \times (-2) - 4 = 8$

$A \times (-2) = 12$ $\therefore A = -6$

㉰에서 $(5+1) \div 3 = C$

$6 \div 3 = C$ $\therefore C = 2$

㉱에서 $B + 1 + 9 - 4 = -3$

$B + 6 = -3$ $\therefore B = -9$

$\therefore A+B+C = -6 + (-9) + 2 = -13$

39 A: $(-7) \div \dfrac{2}{3} + \dfrac{1}{2} = (-7) \times \dfrac{3}{2} + \dfrac{1}{2}$

$= -\dfrac{21}{2} + \dfrac{1}{2} = -\dfrac{20}{2} = -10$

B: $\{(-10) - (-5)\} \times \dfrac{3}{10} = (-5) \times \dfrac{3}{10} = -\dfrac{3}{2}$

C: $\left\{\left(-\dfrac{3}{2}\right) + 4\right\} \div \dfrac{5}{4} = \dfrac{5}{2} \times \dfrac{4}{5} = 2$

따라서 프로그램에 -7을 입력하여 나온 결과는 2이다.

01 ④	02 -4	03 $\dfrac{9}{5}$	04 2	05 ③
06 $A=1$, $B=-\dfrac{1}{2}$		07 36	08 $\dfrac{1}{|b|}$, $\dfrac{1}{|a|}$, $\dfrac{1}{|c|}$	

01 길잡이 분모가 1에서 6까지의 자연수일 때, 기약분수가 될 수 있는 분자를 직접 찾아본다.

0과 1 사이의 기약분수가 되려면 분모와 분자가 서로소이어야 하고, 분모가 분자보다 커야 한다.

즉, $\dfrac{b}{a}$가 0과 1 사이의 기약분수인 경우는

(i) $a=1$일 때, b는 없다.

(ii) $a=2$일 때, $b=1$의 1가지

(iii) $a=3$일 때, $b=1$, 2의 2가지

(iv) $a=4$일 때, $b=1$, 3의 2가지

(v) $a=5$일 때, $b=1$, 2, 3, 4의 4가지

(vi) $a=6$일 때, $b=1$, 5의 2가지

따라서 (i)~(vi)에 의해 $\dfrac{b}{a}$가 기약분수인 경우는 모두

$0+1+2+2+4+2=11$(가지)

02 길잡이 주어진 조건에 맞는 두 정수 a, b를 수직선 위에 나타내어 본다.

a는 b보다 12만큼 크고, b의 절댓값은 a의 절댓값보다 4만큼 크므로 $a>0$, $b<0$이다.

이를 수직선 위에 나타내면 다음 그림과 같다.

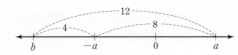

따라서 $a=4$, $b=-8$이므로

$a+b=4+(-8)=-4$

03 길잡이 $\dfrac{a}{14}$의 값의 범위를 구한 후 $\dfrac{a}{14}$가 기약분수임을 이용하여 a의 값을 모두 구한다.

$\left[\dfrac{a}{14}\right]=1$에서 $\dfrac{a}{14}$는 $1\left(=\dfrac{14}{14}\right)$보다 크거나 같고 $2\left(=\dfrac{28}{14}\right)$ 보다 작으므로 $14\leq a<28$이다.

이때 a는 14와 서로소인 수이므로 15, 17, 19, 23, 25, 27 이다.

따라서 $M=27$, $m=15$이므로

$\dfrac{M}{m}=\dfrac{27}{15}=\dfrac{9}{5}$

04 길잡이 ❶ 주어진 조건을 이용하여 a, b, c의 부호를 정한다.

❷ $|A|=\begin{cases} A(A\geq0) \\ -A(A<0) \end{cases}$임을 이용하여 주어진 식의 값을 구한다.

㈎에서 $a<0$, $b>0$, $c<0$이고

㈐에서 $|a|<|b|<|c|$이므로

$a+c<0$, $a+b>0$, $b-c>0$

∴ $|a|-|b|+|c|-|a+c|-|a+b|+|b-c|$

$=-a-b-c+(a+c)-(a+b)+(b-c)$

$=-a-b-c+a+c-a-b+b-c$

$=-a-b-c=-(a+b+c)$

$=-(-2)$ (∵ ㈏)

$=2$

05 길잡이 홀수 번째에 오는 수와 짝수 번째에 오는 수를 구분하여 규칙을 찾아본다.

홀수 번째에 오는 수는 -7, -3, 1, 5, …이므로

-7부터 4씩 커지도록 나열한 것이고

짝수 번째에 오는 수는 -4, -2, 0, 2, …이므로

-4부터 2씩 커지도록 나열한 것이다.

23번째에 오는 수는 -7, -3, 1, 5, …에서 12번째 수이므로

$-7+4\times11=37$ ∴ $a=37$

50번째에 오는 수는 -4, -2, 0, 2, …에서 25번째 수이므로

$-4+2\times24=44$ ∴ $b=44$

∴ $a+b=37+44=81$

06 길잡이 가로, 세로, 대각선에 있는 세 수의 합은 주어진 표에 들어가는 9개의 수의 합의 $\dfrac{1}{3}$이다.

주어진 표에 들어가는 9개의 수의 합은

$\left(-\dfrac{3}{4}\right)+\dfrac{1}{4}+(-1)+\left(-\dfrac{1}{2}\right)+\left(-\dfrac{1}{4}\right)+0+\dfrac{1}{2}+\dfrac{3}{4}+1$

$=0$

즉, 가로, 세로, 대각선에 있는 세 수의 합은 각각 $0\times\dfrac{1}{3}=0$

으로 모두 같다.

따라서 가로, 세로, 대각선에 있는 세 수의 합이 각각 0이 되도록 빈칸에 알맞은 수를 쓰면 오른쪽 표와 같다.

∴ $A=1$, $B=-\dfrac{1}{2}$

$-\dfrac{3}{4}$	1	$-\dfrac{1}{4}$
$\dfrac{1}{2}$	0	$-\dfrac{1}{2}$
$\dfrac{1}{4}$	-1	$\dfrac{3}{4}$

07 길잡이 a, b, c, d가 서로 다른 네 정수이면 $9-a$, $9-b$, $9-c$, $9-d$도 서로 다른 네 정수이다.

a, b, c, d가 서로 다른 네 정수이므로 $9-a$, $9-b$, $9-c$, $9-d$도 서로 다른 네 정수이다.

$(9-a)\times(9-b)\times(9-c)\times(9-d)=4$가 성립하려면

$9-a$, $9-b$, $9-c$, $9-d$의 값은 순서에 상관없이 -2, -1, 1, 2 중에 하나이므로

$(9-a)+(9-b)+(9-c)+(9-d)=-2+(-1)+1+2$

$36-(a+b+c+d)=0$

∴ $a+b+c+d=36$

08 길잡이 주어진 조건을 이용하여 a, b, c의 부호를 정한 후 $|a|$, $|b|$, $|c|$의 대소를 비교한다.

$\dfrac{a}{b}<0$에서 a와 b는 부호가 반대이고 $a>b>c$이므로

$a>0$, $b<0$, $c<0$

이때 $a+b>0$이므로 $|a|>|b|$

$a+c<0$이므로 $|c|>|a|$

따라서 $|b|<|a|<|c|$이므로

$$\frac{1}{|c|}<\frac{1}{|a|}<\frac{1}{|b|}$$

따라서 자연수 A, B는

$A=24\times5=120$, $B=24\times7=168$ ··· (iii)

$\therefore B-A=168-120=48$ ··· (iv)

채점 기준	비율
(i) $a\times b=35$임을 알기	30 %
(ii) a, b의 값 구하기	30 %
(iii) A, B의 값 구하기	30 %
(iv) $B-A$의 값 구하기	10 %

P. 30~31 **1~2 서술형 완성하기**

[과정은 풀이 참조]

1 72000원   **2** 48   **3** (1) $a=-10$, $b=10$ (2) -20

4 $-\dfrac{1}{2}$ **5** $a<0$, $b>0$, $c<0$

6 (1) $\left[\left\{\dfrac{1}{6}-2-\left(-\dfrac{3}{2}\right)\right\}\div\left(-\dfrac{2}{3}\right)^2+3\right]\times\left(-\dfrac{1}{12}\right)$

   (2) $-\dfrac{3}{16}$

7 231   **8** 8

---

1 가능한 한 큰 정육면체 모양으로 남는 부분이 없이 같은 크기로 잘라야 하므로 정육면체 모양의 빵의 한 모서리의 길이는 72, 48, 36의 최대공약수인 $2^2\times3=12$(cm)이다. ··· (i)

$$\begin{array}{r}2\,)\underline{72\quad48\quad36}\\2\,)\underline{36\quad24\quad18}\\3\,)\underline{18\quad12\quad\;9}\\6\quad\;4\quad\;3\end{array}$$

즉, 가로, 세로, 높이에 놓이는 정육면체 모양의 빵의 개수는

가로: $72\div12=6$(개)

세로: $48\div12=4$(개)

높이: $36\div12=3$(개) ··· (ii)

따라서 정육면체 모양의 빵의 총 개수는

$6\times4\times3=72$(개)

이므로 총 판매 금액은

$72\times1000=72000$(원) ··· (iii)

채점 기준	비율
(i) 정육면체 모양의 빵의 한 모서리의 길이 구하기	40 %
(ii) 가로, 세로, 높이에 놓이는 정육면체 모양의 빵의 개수 구하기	30 %
(iii) 총 판매 금액 구하기	30 %

---

2 두 자연수 A, B의 최대공약수가 24이므로 두 수를 각각 $A=24\times a$, $B=24\times b$(a, b는 서로소, $a<b$)라 하면 두 자연수 A, B의 최소공배수가 840이므로

$24\times a\times b=840$

$\therefore a\times b=35$ ··· (i)

이때 a, b는 서로소이고 $a<b$이므로

$a=1$, $b=35$ 또는 $a=5$, $b=7$

그런데 A, B는 세 자리의 자연수이므로

$a=5$, $b=7$ ··· (ii)

---

3 (1) ㈎에서 두 수 a, b의 절댓값이 같고 ㈏에서 a는 b보다 작으므로

$a<0$, $b>0$ ··· (i)

따라서 a, b는 원점으로부터 거리가 각각 $20\times\dfrac{1}{2}=10$만큼 떨어진 점에 대응하는 수이므로

$a=-10$, $b=10$ ··· (ii)

(2) $a=-10$, $b=10$이므로

$3\times a+b=3\times(-10)+10=-20$ ··· (iii)

채점 기준	비율
(i) a, b의 부호 결정하기	40 %
(ii) a, b의 값 구하기	40 %
(iii) $3\times a+b$의 값 구하기	20 %

---

4 두 점 A, D 사이의 거리는

$$\frac{7}{4}-\left(-\frac{9}{4}\right)=\frac{16}{4}=4$$ ··· (i)

두 점 A, B 사이의 거리는 두 점 A, D 사이의 거리의 $\dfrac{1}{3}$이므로

$$4\times\frac{1}{3}=\frac{4}{3}$$ ··· (ii)

따라서 점 B는 점 A에서 $\dfrac{4}{3}$만큼 오른쪽에 있으므로

$$p=-\frac{9}{4}+\frac{4}{3}$$

$$=-\frac{27}{12}+\frac{16}{12}=-\frac{11}{12}$$ ··· (iii)

점 C는 점 D에서 $\dfrac{4}{3}$만큼 왼쪽에 있으므로

$$q=\frac{7}{4}-\frac{4}{3}=\frac{21}{12}-\frac{16}{12}=\frac{5}{12}$$ ··· (iv)

$$\therefore p+q=-\frac{11}{12}+\frac{5}{12}$$

$$=-\frac{6}{12}=-\frac{1}{2}$$ ··· (v)

채점 기준	비율
(i) 두 점 A, D 사이의 거리 구하기	20 %
(ii) 두 점 A, B 사이의 거리 구하기	20 %
(iii) p의 값 구하기	20 %
(iv) q의 값 구하기	20 %
(v) $p+q$의 값 구하기	20 %

5 $a \times b < 0$, $a \times b \times c > 0$이므로

$c < 0$ ⋯ (ⅰ)

이때 $a < c$이므로

$a < 0$ ⋯ (ⅱ)

$a \times b < 0$이므로

$b > 0$ ⋯ (ⅲ)

$\therefore a < 0$, $b > 0$, $c < 0$

채점 기준	비율
(ⅰ) c의 부호 결정하기	40 %
(ⅱ) a의 부호 결정하기	30 %
(ⅲ) b의 부호 결정하기	30 %

6 (1) $\left[\left\{ \dfrac{1}{6} - 2 - \left(-\dfrac{3}{2} \right) \right\} \div \left(-\dfrac{2}{3} \right)^2 + 3 \right] \times \left(-\dfrac{1}{12} \right)$ ⋯ (ⅰ)

(2) $\left[\left\{ \dfrac{1}{6} - 2 - \left(-\dfrac{3}{2} \right) \right\} \div \left(-\dfrac{2}{3} \right)^2 + 3 \right] \times \left(-\dfrac{1}{12} \right)$

$= \left\{ \left(-\dfrac{1}{3} \right) \div \dfrac{4}{9} + 3 \right\} \times \left(-\dfrac{1}{12} \right)$

$= \left\{ \left(-\dfrac{1}{3} \right) \times \dfrac{9}{4} + 3 \right\} \times \left(-\dfrac{1}{12} \right)$

$= \left(-\dfrac{3}{4} + 3 \right) \times \left(-\dfrac{1}{12} \right)$

$= \dfrac{9}{4} \times \left(-\dfrac{1}{12} \right)$

$= -\dfrac{3}{16}$ ⋯ (ⅱ)

채점 기준	비율
(ⅰ) 식 세우기	40 %
(ⅱ) 답 구하기	60 %

7 $54 \times a = 84 \times b = c^2$에서

$54 = 2 \times 3^3$, $84 = 2^2 \times 3 \times 7$이므로

$2 \times 3^3 \times a = 2^2 \times 3 \times 7 \times b = c^2$ ⋯ (ⅰ)

어떤 자연수의 제곱이 되려면 소인수의 지수가 모두 짝수가

되어야 하므로 가장 작은 두 자연수 a, b는

$a = 2 \times 3 \times 7^2 = 294$, $b = 3^3 \times 7 = 189$ ⋯ (ⅱ)

즉, $2 \times 3^3 \times (2 \times 3 \times 7^2) = 2^2 \times 3 \times 7 \times (3^3 \times 7) = c^2$이므로

$c^2 = (2 \times 3^2 \times 7)^2$

$\therefore c = 2 \times 3^2 \times 7 = 126$ ⋯ (ⅲ)

$\therefore a - b + c = 294 - 189 + 126$

$= 231$ ⋯ (ⅳ)

채점 기준	비율
(ⅰ) 54와 84를 소인수분해하여 주어진 식을 나타내기	20 %
(ⅱ) a, b의 값 구하기	40 %
(ⅲ) c의 값 구하기	20 %
(ⅳ) $a - b + c$의 값 구하기	20 %

8 $1 \le |y| \le 3$이고 y는 정수이므로

$|y| = 1$ 또는 $|y| = 2$ 또는 $|y| = 3$

이때 $|x| - |y| = 1$을 만족시키는 $|x|$, $|y|$의 값을

$(|x|, |y|)$로 나타내면

$(2, 1)$, $(3, 2)$, $(4, 3)$ ⋯ (ⅰ)

주어진 조건을 만족시키는 x, y의 값을 (x, y)로 나타내면

$(2, 1)$, $(2, -1)$, $(-2, 1)$, $(-2, -1)$,

$(3, 2)$, $(3, -2)$, $(-3, 2)$, $(-3, -2)$,

$(4, 3)$, $(4, -3)$, $(-4, 3)$, $(-4, -3)$ ⋯ (ⅱ)

따라서 $|x + y|$의 값 중 가장 큰 수는 7이고 가장 작은 수는

1이므로

$M = 7$, $m = 1$ ⋯ (ⅲ)

$\therefore M + m = 7 + 1 = 8$ ⋯ (ⅳ)

채점 기준	비율
(ⅰ) $|x|$, $|y|$의 값 모두 구하기	30 %
(ⅱ) x, y의 값 모두 구하기	30 %
(ⅲ) M, m의 값 구하기	30 %
(ⅳ) $M + m$의 값 구하기	10 %

P. 34~36
개념+대표 문제 확인하기

1 ②, ⑤ **2** ④ **3** ④ **4** -13

5 (1) $2(4a+4b+ab)$ (2) 148 **6** ㄱ, ㄴ, ㅁ **7** $\dfrac{14}{5}$

8 ⑤ **9** ⑤ **10** ① **11** ④

12 ② **13** ② **14** $-4x+14y$

15 $-24x+15$ **16** $5x-\dfrac{13}{2}$

---

1 ① $0.1 \times y \times y = 0.1y^2$

③ $(-1) \div (b \div c) = (-1) \div \left(b \times \dfrac{1}{c}\right)$

$\qquad\qquad\qquad = (-1) \div \dfrac{b}{c}$

$\qquad\qquad\qquad = (-1) \times \dfrac{c}{b} = -\dfrac{c}{b}$

④ $x + (-5) \div y = x + (-5) \times \dfrac{1}{y}$

$\qquad\qquad\qquad = x - \dfrac{5}{y}$

2 ② (거리)=(시간)×(속력)$=a \times 300 = 300a\,(\text{m})$

③ (할인된 공책 한 권의 가격)$=x-0.3x=0.7x$(원)

$\quad$ ∴ (거스름돈)

$\qquad$=(지불한 금액)−(할인된 공책 y권의 가격)

$\qquad=8000-0.7xy$(원)

④ (남학생 수)$=30 \times \dfrac{x}{100} = \dfrac{3}{10}x$(명)

따라서 옳지 않은 것은 ④이다.

3 ① $\dfrac{1}{x} = -\dfrac{1}{2}$

② $-\dfrac{1}{x^2} = -\dfrac{1}{(-2)^2} = -\dfrac{1}{4}$

③ $x^2 = (-2)^2 = 4$

④ $x^3 = (-2)^3 = -8$

⑤ $-\dfrac{1}{x^3} = -\dfrac{1}{(-2)^3} = \dfrac{1}{8}$

따라서 식의 값이 가장 작은 것은 ④이다.

4 $\dfrac{1}{a} + \dfrac{1}{b} - \dfrac{2}{c} = 1 \div a + 1 \div b - 2 \div c$

$\qquad = 1 \div \dfrac{1}{3} + 1 \div \left(-\dfrac{1}{4}\right) - 2 \div \dfrac{1}{6}$

$\qquad = 1 \times 3 + 1 \times (-4) - 2 \times 6$

$\qquad = 3 - 4 - 12$

$\qquad = -13$

다른 풀이 $\dfrac{1}{a} = 3$, $\dfrac{1}{b} = -4$, $\dfrac{1}{c} = 6$이므로

$\dfrac{1}{a} + \dfrac{1}{b} - \dfrac{2}{c} = 3 + (-4) - 2 \times 6 = -13$

---

5 (1) (겉넓이)$=2 \times (a \times 4 + 4 \times b + a \times b)$

$\qquad\qquad\;\; = 2(4a + 4b + ab) \quad \cdots\, ㉠$

(2) ㉠에 $a=6$, $b=5$를 대입하면

$\quad$ (겉넓이)$=2 \times (4 \times 6 + 4 \times 5 + 6 \times 5) = 2 \times 74 = 148$

6 ㄱ. 항은 $-3x^2$, $4x$, -1의 3개이다.

ㄴ. 차수가 가장 큰 항은 $-3x^2$이므로 다항식의 차수는 2이다.

ㄷ. 상수항은 -1이다.

ㄹ. x^2의 계수는 -3이다.

ㅁ. x의 계수는 4이고 상수항은 -1이므로 그 곱은 -4이다.

따라서 옳은 것은 ㄱ, ㄴ, ㅁ이다.

7 $a = -\dfrac{1}{5}$, $b = 6$, $c = -3$

$\therefore\; a + b + c = -\dfrac{1}{5} + 6 + (-3) = \dfrac{14}{5}$

8 ① 상수항은 차수가 1이 아니므로 일차식이 아니다.

② 분모에 문자가 있는 식은 다항식이 아니므로 일차식이 아니다.

③ $0 \times y + 2 = 2$이므로 일차식이 아니다.

④ 차수가 2이므로 일차식이 아니다.

9 ① $\dfrac{1}{4}(4x - 12) = \dfrac{1}{4} \times 4x - \dfrac{1}{4} \times 12 = x - 3$

② $-5(2x + 7) = (-5) \times 2x + (-5) \times 7 = -10x - 35$

③ $(14x + 35) \div (-7) = (14x + 35) \times \left(-\dfrac{1}{7}\right)$

$\qquad\qquad\qquad = 14x \times \left(-\dfrac{1}{7}\right) + 35 \times \left(-\dfrac{1}{7}\right)$

$\qquad\qquad\qquad = -2x - 5$

④ $\left(x - \dfrac{4}{3}y\right) \div \left(-\dfrac{1}{6}\right) = \left(x - \dfrac{4}{3}y\right) \times (-6)$

$\qquad\qquad\qquad = x \times (-6) - \dfrac{4}{3}y \times (-6)$

$\qquad\qquad\qquad = -6x + 8y$

⑤ $\left(-8x + 4y - \dfrac{8}{9}\right) \times \dfrac{3}{4} = -8x \times \dfrac{3}{4} + 4y \times \dfrac{3}{4} - \dfrac{8}{9} \times \dfrac{3}{4}$

$\qquad\qquad\qquad = -6x + 3y - \dfrac{2}{3}$

따라서 옳지 않은 것은 ⑤이다.

10 $\dfrac{3}{4}(8x - 16) - \left(4 - \dfrac{2}{3}y\right) \div \left(-\dfrac{2}{9}\right)$

$= \dfrac{3}{4}(8x - 16) - \left(4 - \dfrac{2}{3}y\right) \times \left(-\dfrac{9}{2}\right)$

$= \dfrac{3}{4} \times 8x - \dfrac{3}{4} \times 16 - \left\{4 \times \left(-\dfrac{9}{2}\right) - \dfrac{2}{3}y \times \left(-\dfrac{9}{2}\right)\right\}$

$= 6x - 12 - (-18 + 3y)$

$= 6x - 12 + 18 - 3y$

$= 6x - 3y + 6$

따라서 $a = 6$, $b = -3$, $c = 6$이므로

$-a + b + c = -6 + (-3) + 6 = -3$

11 ①, ② 문자는 같지만 차수가 다르므로 동류항이 아니다.

③ $\dfrac{5}{x}$는 분모에 문자가 있으므로 다항식이 아니다.

④ 문자가 같고, 차수도 같으므로 동류항이다.

⑤ 문자가 다르므로 동류항이 아니다.

따라서 동류항끼리 짝 지어진 것은 ④이다.

12 $a(3x-1)-(ax-5)=3ax-a-ax+5$
$$=2ax-a+5$$

따라서 $2a=-1$이므로 $a=-\dfrac{1}{2}$이고

$-a+5=b$이므로 $b=-\left(-\dfrac{1}{2}\right)+5=\dfrac{11}{2}$

$\therefore a-b=-\dfrac{1}{2}-\dfrac{11}{2}=-\dfrac{12}{2}=-6$

13 $\dfrac{5x-2}{6}-\dfrac{2x-1}{3}+\dfrac{7-3x}{4}$
$$=\dfrac{2(5x-2)}{12}-\dfrac{4(2x-1)}{12}+\dfrac{3(7-3x)}{12}$$
$$=\dfrac{10x-4-8x+4+21-9x}{12}$$
$$=\dfrac{-7x+21}{12}$$
$$=-\dfrac{7}{12}x+\dfrac{7}{4}$$

14 $-6x-2[x-4y-\{5x+2y-(3x-y)\}]$
$$=-6x-2\{x-4y-(5x+2y-3x+y)\}$$
$$=-6x-2\{x-4y-(2x+3y)\}$$
$$=-6x-2(x-4y-2x-3y)$$
$$=-6x-2(-x-7y)$$
$$=-6x+2x+14y$$
$$=-4x+14y$$

15 $-3(A-2B)=-3A+6B$
$$=-3(4x-3)+6(-2x+1)$$
$$=-12x+9-12x+6$$
$$=-24x+15$$

16 어떤 다항식을 $\square$라 하면

$\square+(-3x+4)=2x-\dfrac{5}{2}$

$\therefore \square=2x-\dfrac{5}{2}-(-3x+4)$
$$=2x-\dfrac{5}{2}+3x-4$$
$$=5x-\dfrac{13}{2}$$

따라서 구하는 어떤 다항식은 $5x-\dfrac{13}{2}$이다.

P. 37~39 내신 **5%** 따라잡기

1 ㄴ, ㄹ, ㅁ	**2** ③	**3** ④	**4** 8
5 ⑤	**6** 1372 m	**7** -16	**8** $(2x+2y-12)$ m
9 ④	**10** ③	**11** 10	**12** ②
13 $-3x-4y$	**14** ④		**15** $7x+30$
16 63	**17** ④	**18** ①	**19** $\dfrac{7}{12}$ **20** $-\dfrac{5}{2}$
21 $17x-24$		**22** $-6x+10$	**23** $x+2$
24 33			

1 ㄱ. $a\times2\div b-c=a\times2\times\dfrac{1}{b}-c$
$$=\dfrac{2a}{b}-c$$

ㄴ. $(a+b)\div c\times\left(-\dfrac{1}{3}\right)=(a+b)\times\dfrac{1}{c}\times\left(-\dfrac{1}{3}\right)$
$$=-\dfrac{a+b}{3c}$$

ㄷ. $(-0.1)\times c+a\times\dfrac{1}{b}=-0.1c+\dfrac{a}{b}$

ㄹ. $(-1)\times x\div(y\div3)=(-1)\times x\div\left(y\times\dfrac{1}{3}\right)$
$$=(-1)\times x\div\dfrac{y}{3}$$
$$=(-1)\times x\times\dfrac{3}{y}$$
$$=-\dfrac{3x}{y}$$

ㅁ. $(x-1)\div y+(z+2)\times(-2)$
$$=(x-1)\times\dfrac{1}{y}+(z+2)\times(-2)$$
$$=\dfrac{x-1}{y}-2(z+2)$$

따라서 옳은 것은 ㄴ, ㄹ, ㅁ이다.

2 $a\div b\div c=a\times\dfrac{1}{b}\times\dfrac{1}{c}=\dfrac{a}{bc}$

① $a\times(b\div c)=a\times\dfrac{b}{c}=\dfrac{ab}{c}$

② $a\div(b\div c)=a\div\dfrac{b}{c}=a\times\dfrac{c}{b}=\dfrac{ac}{b}$

③ $a\div(b\times c)=a\div bc=a\times\dfrac{1}{bc}=\dfrac{a}{bc}$

④ $a\div b\times c=a\times\dfrac{1}{b}\times c=\dfrac{ac}{b}$

⑤ $(a\div b)\times c=\dfrac{a}{b}\times c=\dfrac{ac}{b}$

따라서 $a\div b\div c$와 계산 결과가 같은 식은 ③이다.

3 정가가 15000원인 CD를 $a\,\%$ 할인한 가격은

$15000-\dfrac{a}{100}\times15000=15000-150a$(원)

따라서 지불한 금액은 $(15000-150a)x$원이다.

4 $a=-\dfrac{2}{3}$, $b^2=4$, $c^3=\left(-\dfrac{1}{2}\right)^3=-\dfrac{1}{8}$

$\therefore \dfrac{8}{a}+b^2-\dfrac{2}{c^3}=8\div a+b^2-2\div c^3$

$\qquad =8\div\left(-\dfrac{2}{3}\right)+4-2\div\left(-\dfrac{1}{8}\right)$

$\qquad =8\times\left(-\dfrac{3}{2}\right)+4-2\times(-8)$

$\qquad =-12+4+16=8$

5 $2a=-1$이므로

$-4a^2+2a+5=-(2a)^2+2a+5$

$\qquad =-(-1)^2+(-1)+5$

$\qquad =-1-1+5=3$

다른 풀이 $2a=-1$이므로 $a=-\dfrac{1}{2}$

$\therefore -4a^2+2a+5=-4\times\left(-\dfrac{1}{2}\right)^2+2\times\left(-\dfrac{1}{2}\right)+5$

$\qquad =-4\times\dfrac{1}{4}-1+5=3$

6 기온이 $20\,℃$일 때, 소리의 속력은
초속 $331+0.6\times20=331+12=343\,(\text{m})$
따라서 번개가 친 곳까지의 거리는
$343\times4=1372\,(\text{m})$

7 x의 계수가 -2인 x에 대한 일차식을 $-2x+k$ $(k$는 상수$)$
라 하면
$x=3$일 때, $-2x+k=-2\times3+k=-6+k$
$\therefore a=-6+k$
$x=-5$일 때, $-2x+k=-2\times(-5)+k=10+k$
$\therefore b=10+k$
$\therefore a-b=(-6+k)-(10+k)$
$\qquad =-6+k-10-k=-16$

8 화단의 가로의 길이는 $(x-4)\,\text{m}$, 세로의 길이는 $(y-2)\,\text{m}$
이므로 화단의 둘레의 길이는
$2(x-4)+2(y-2)=2x-8+2y-4$
$\qquad =2x+2y-12\,(\text{m})$

9 (주어진 식)$=(4+a)x^2+(2+a+b)x-6$
이 식이 x에 대한 일차식이 되려면
$4+a=0$, $2+a+b\neq0$
$4+a=0$에서 $a=-4$
$2+a+b\neq0$에서 $-2+b\neq0$ $\therefore b\neq2$
따라서 상수 a, b의 조건으로 알맞은 것은 ④이다.

10 $\dfrac{ax+b}{3}-\dfrac{ax-b}{2}=\dfrac{2(ax+b)}{6}-\dfrac{3(ax-b)}{6}$

$\qquad =\dfrac{2ax+2b-3ax+3b}{6}$

$\qquad =\dfrac{-ax+5b}{6}=-\dfrac{a}{6}x+\dfrac{5b}{6}$

따라서 $-\dfrac{a}{6}=-2$, $\dfrac{5b}{6}=10$이므로 $a=12$, $b=12$

$\therefore b-a=12-12=0$

11 $2x-\left[4x-2\{5-(3x-y)\}-\dfrac{3}{2}\left(-4y+\dfrac{8}{3}x\right)\right]$

$=2x-\{4x-2(5-3x+y)+6y-4x\}$

$=2x-(4x-10+6x-2y+6y-4x)$

$=2x-(6x+4y-10)$

$=2x-6x-4y+10$

$=-4x-4y+10$

따라서 $a=-4$, $b=-4$, $c=10$이므로
$a-b+c=-4-(-4)+10=10$

12 n이 짝수이면 $n+2$는 짝수, $n+1$은 홀수이므로
$(-1)^{n+2}=1$, $(-1)^{n+1}=-1$
$\therefore (-1)^{n+2}(3a-2b)-(-1)^{n+1}(-a+5b)$
$=1\times(3a-2b)-(-1)\times(-a+5b)$
$=3a-2b-a+5b$
$=2a+3b$

13 $2x*(6x\diamondsuit y)=2x*\left(\dfrac{1}{2}\times6x-4\times y\right)$

$\qquad =2x*(3x-4y)$

$\qquad =-3\times2x+3x-4y$

$\qquad =-6x+3x-4y$

$\qquad =-3x-4y$

14 10점인 학생 a명의 총점은 $10a$점, 9점인 학생 b명의 총점
은 $9b$점, 8점인 나머지 학생 $(20-a-b)$명의 총점은
$8(20-a-b)$점이므로

$(\text{평균})=\dfrac{10a+9b+8(20-a-b)}{20}$

$\qquad =\dfrac{10a+9b+160-8a-8b}{20}$

$\qquad =\dfrac{2a+b+160}{20}\,(\text{점})$

15 직사각형의 가로의 길이는 10,
세로의 길이는
$x+(x+6)=2x+6$이므로
오른쪽 그림에서 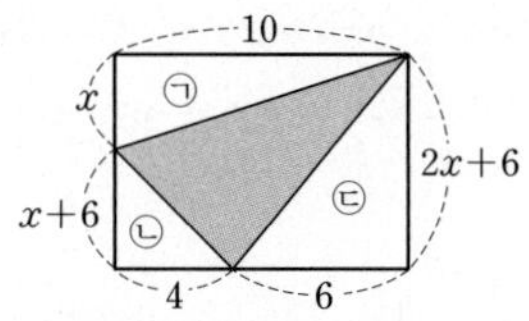
(색칠한 부분의 넓이)

$=\underbrace{10\times(2x+6)}_{\bigcirc}-\underbrace{\dfrac{1}{2}\times10\times x}_{\bigcirc}-\underbrace{\dfrac{1}{2}\times4\times(x+6)}_{\bigcirc}$

$\qquad -\underbrace{\dfrac{1}{2}\times6\times(2x+6)}_{\bigcirc}$

$=20x+60-5x-2(x+6)-3(2x+6)$

$=20x+60-5x-2x-12-6x-18$

$=7x+30$

16 오른쪽 그림과 같이 도형을
㉠, ㉡, ㉢으로 나누면 ㉡의
가로의 길이는 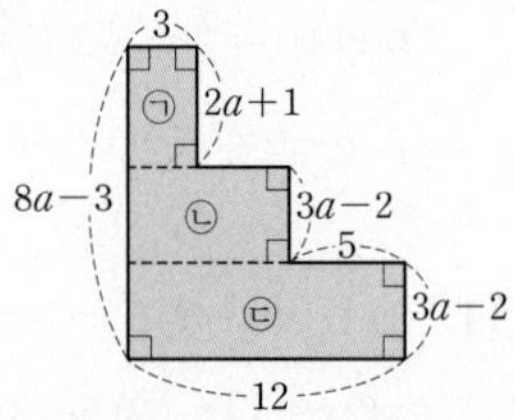
$12-5=7$
㉡의 세로의 길이는
$(8a-3)-(2a+1)-(3a-2)$
$=8a-3-2a-1-3a+2$
$=3a-2$
도형의 넓이는
$\underbrace{3\times(2a+1)}_{㉠}+\underbrace{7\times(3a-2)}_{㉡}+\underbrace{12\times(3a-2)}_{㉢}$
$=6a+3+21a-14+36a-24$
$=63a-35$
따라서 a의 계수는 63이다.

17 $\dfrac{3A-B}{2}-\dfrac{6A-4B}{3}=\dfrac{3(3A-B)}{6}-\dfrac{2(6A-4B)}{6}$

$=\dfrac{9A-3B-12A+8B}{6}$

$=\dfrac{-3A+5B}{6}=-\dfrac{1}{2}A+\dfrac{5}{6}B$

$=-\dfrac{1}{2}\left(2x-\dfrac{1}{3}\right)+\dfrac{5}{6}(5x+2)$

$=-x+\dfrac{1}{6}+\dfrac{25}{6}x+\dfrac{5}{3}$

$=\dfrac{19}{6}x+\dfrac{11}{6}$

18 $A+B-C=(a-b)+(-b-c)-(c-a)$

$=a-b-b-c-c+a$

$=2a-2b-2c$

$=2(a-b-c)$

이때 $a-b-c=-5$이므로
$A+B-C=2(a-b-c)=2\times(-5)=-10$

19 $x:y=5:1$에서 $x=5y$

$\therefore \dfrac{x}{x+y}-\dfrac{y}{x-y}=\dfrac{5y}{5y+y}-\dfrac{y}{5y-y}$

$=\dfrac{5y}{6y}-\dfrac{y}{4y}$

$=\dfrac{5}{6}-\dfrac{1}{4}=\dfrac{7}{12}$

20 $\dfrac{1}{a}+\dfrac{1}{b}=4$에서 $\dfrac{a+b}{ab}=4$이므로 $a+b=4ab$

$\therefore \dfrac{2a-3ab+2b}{-2ab}=\dfrac{2(a+b)-3ab}{-2ab}$

$=\dfrac{2\times4ab-3ab}{-2ab}$

$=\dfrac{8ab-3ab}{-2ab}$

$=\dfrac{5ab}{-2ab}=-\dfrac{5}{2}$

21 $(4x-1)-A=-x+5$

$\therefore A=4x-1-(-x+5)=4x-1+x-5=5x-6$

$B+(-5x+3)=4x-9$

$\therefore B=4x-9-(-5x+3)=4x-9+5x-3=9x-12$

$\therefore -2A+3B=-2(5x-6)+3(9x-12)$

$=-10x+12+27x-36$

$=17x-24$

22 첫 번째 세로줄에 놓인 세 일차식의 합은
$(2x-2)+(-7x+2)+(2x+6)=-3x+6$
가운데 가로줄에 놓인 세 일차식의 합도 $-3x+6$이므로
$(-7x+2)+A+(5x+2)=-3x+6$에서
$A+(-2x+4)=-3x+6$
$\therefore A=(-3x+6)-(-2x+4)=-x+2$
왼쪽 위에서 오른쪽 아래로 향하는 대각선에 놓인 세 일차
식의 합도 $-3x+6$이므로
$(2x-2)+A+B=-3x+6$에서
$(2x-2)+(-x+2)+B=-3x+6$, $x+B=-3x+6$
$\therefore B=(-3x+6)-x=-4x+6$
$\therefore 2A+B=2(-x+2)+(-4x+6)$
$=-2x+4-4x+6=-6x+10$

23 ㈎, ㈏에서 $A=-3x+a$, $B=bx-\dfrac{3}{2}$ (a, b는 상수, $b\neq0$)
이라 하면 ㈐에서 $A-B=-5x+\dfrac{13}{2}$이므로

$A-B=-3x+a-\left(bx-\dfrac{3}{2}\right)$

$=-3x+a-bx+\dfrac{3}{2}$

$=(-3-b)x+a+\dfrac{3}{2}$

즉, $(-3-b)x+a+\dfrac{3}{2}=-5x+\dfrac{13}{2}$이므로

$-3-b=-5$, $a+\dfrac{3}{2}=\dfrac{13}{2}$ $\therefore a=5$, $b=2$

따라서 $A=-3x+5$, $B=2x-\dfrac{3}{2}$이므로

$A+2B=(-3x+5)+2\left(2x-\dfrac{3}{2}\right)$

$=-3x+5+4x-3=x+2$

24 어떤 다항식을 ☐라 하면
$☐+(-5x+3y-2)=2x-7y+4$
$\therefore ☐=2x-7y+4-(-5x+3y-2)$
$=2x-7y+4+5x-3y+2$
$=7x-10y+6$
따라서 바르게 계산한 식은
$7x-10y+6-(-5x+3y-2)=7x-10y+6+5x-3y+2$
$=12x-13y+8$
$\therefore a=12$, $b=-13$, $c=8$
$\therefore a-b+c=12-(-13)+8=33$

01	-1	**02**	-6	**03**	$\dfrac{11}{6}a+\dfrac{31}{12}b$	**04** $(3n+1)$개

05 $\dfrac{13}{24}n$장   **06** ①

07 A그릇: $\dfrac{5}{7}x\%$, B그릇: $\left(\dfrac{1}{5}x+\dfrac{4}{5}y\right)\%$

08 $15:7$

---

01 길잡이 y와 z를 모두 x를 사용한 식으로 변형하여 식의 값을 구한다.

$\dfrac{1}{x}+y=1$에서 $y=1-\dfrac{1}{x}$ $\therefore y=\dfrac{x-1}{x}$

$x+\dfrac{1}{z}=1$에서 $\dfrac{1}{z}=1-x$ $\therefore z=\dfrac{1}{1-x}$

$\therefore xyz=x\times\dfrac{x-1}{x}\times\dfrac{1}{1-x}$

$=x\times\dfrac{x-1}{x}\times\dfrac{1}{-(x-1)}$

$=-1$

02 길잡이 주어진 식을 정리한 후 문자가 약분되도록 $a+b+c=0$을 변형하여 식에 대입한다.

$a\left(\dfrac{2}{b}+\dfrac{2}{c}\right)+b\left(\dfrac{2}{c}+\dfrac{2}{a}\right)+c\left(\dfrac{2}{a}+\dfrac{2}{b}\right)$

$=\dfrac{2a}{b}+\dfrac{2a}{c}+\dfrac{2b}{c}+\dfrac{2b}{a}+\dfrac{2c}{a}+\dfrac{2c}{b}$

$=\dfrac{2b+2c}{a}+\dfrac{2a+2c}{b}+\dfrac{2a+2b}{c}$

$=\dfrac{2(b+c)}{a}+\dfrac{2(a+c)}{b}+\dfrac{2(a+b)}{c}$

이때 $a+b+c=0$에서

$b+c=-a$, $a+c=-b$, $a+b=-c$이므로

(주어진 식)$=\dfrac{-2a}{a}+\dfrac{-2b}{b}+\dfrac{-2c}{c}$

$=-2+(-2)+(-2)$

$=-6$

03 길잡이 먼저 $a▲b$, $a▼b$를 간단히 한 후 $(a▲2b)$, $(8a▼3b)$에 정해진 규칙을 적용한다.

$a▲b=\dfrac{3a-b}{2}-\dfrac{a-2b}{3}$

$=\dfrac{3(3a-b)}{6}-\dfrac{2(a-2b)}{6}$

$=\dfrac{9a-3b-2a+4b}{6}$

$=\dfrac{7a+b}{6}$

$a▼b=\dfrac{-2a+3b}{6}+\dfrac{a-5b}{4}$

$=\dfrac{2(-2a+3b)}{12}+\dfrac{3(a-5b)}{12}$

$=\dfrac{-4a+6b+3a-15b}{12}$

$=\dfrac{-a-9b}{12}$

$\therefore (a▲2b)-(8a▼3b)=\dfrac{7a+2b}{6}-\dfrac{-8a-27b}{12}$

$=\dfrac{2(7a+2b)-(-8a-27b)}{12}$

$=\dfrac{14a+4b+8a+27b}{12}$

$=\dfrac{22a+31b}{12}$

$=\dfrac{11}{6}a+\dfrac{31}{12}b$

04 길잡이 나열된 검은색 바둑돌의 규칙을 찾은 후 구하는 바둑돌의 개수를 식으로 세운다.

각 단계마다 첫 번째와 세 번째 줄에 나열되는 바둑돌의 개수는 각각

1개, 2개, 3개, 4개, …

각 단계마다 두 번째 줄에 나열되는 바둑돌의 개수는 각각

2개, 3개, 4개, 5개, …

따라서 [n단계]에 나열되는 바둑돌의 개수는 첫 번째 줄에 n개, 두 번째 줄에 $(n+1)$개, 세 번째 줄에 n개이므로

$n+(n+1)+n=3n+1$(개)

05 길잡이 빨간색 봉투와 파란색 봉투에 넣은 카드의 수를 각각 n을 사용한 식으로 나타낸다.

빨간색 봉투에 넣은 카드의 수는

$4+\dfrac{3}{4}(n-4)=4+\dfrac{3}{4}n-3=\dfrac{3}{4}n+1$(장)

파란색 봉투에 넣은 카드의 수는

$11+\dfrac{5}{6}\left\{n-\left(\dfrac{3}{4}n+1\right)-11\right\}=11+\dfrac{5}{6}\left(\dfrac{1}{4}n-12\right)$

$=\dfrac{5}{24}n+1$(장)

따라서 빨간색 봉투에 넣은 카드의 수와 파란색 봉투에 넣은 카드의 수의 차는

$\left(\dfrac{3}{4}n+1\right)-\left(\dfrac{5}{24}n+1\right)=\dfrac{13}{24}n$(장)

06 길잡이 처음 사다리꼴의 윗변, 아랫변의 길이와 높이를 각각 문자로 놓고, 처음 사다리꼴의 넓이와 변형된 사다리꼴의 넓이를 각각 구한다.

처음 사다리꼴의 윗변의 길이를 a, 아랫변의 길이를 b, 높이를 c라 하면

윗변의 길이는 10 %가 늘어났으므로 변형된 사다리꼴의 윗변의 길이는

$a+0.1a=1.1a$

아랫변의 길이도 10 %가 늘어났으므로 변형된 사다리꼴의 아랫변의 길이는

$b+0.1b=1.1b$

높이는 20 % 줄어들었으므로 변형된 사다리꼴의 높이는

$c-0.2c=0.8c$

(처음 사다리꼴의 넓이)$=\dfrac{1}{2}(a+b)c$,

(변형된 사다리꼴의 넓이)

$$=\frac{1}{2}(1.1a+1.1b)\times0.8c=\frac{1}{2}\left(\frac{11}{10}a+\frac{11}{10}b\right)\times\frac{8}{10}c$$

$$=\frac{1}{2}\times\frac{11}{10}(a+b)\times\frac{8}{10}c=\frac{11}{10}\times\frac{8}{10}\times\frac{1}{2}(a+b)c$$

$$=\frac{88}{100}\times\frac{1}{2}(a+b)c$$

따라서 처음 사다리꼴의 넓이보다 $1-\frac{88}{100}=\frac{12}{100}$, 즉 12% 감소하였다.

07 (길잡이) A, B 두 그릇의 설탕물에 들어 있는 설탕의 양을 각각 구한 후 농도를 구하는 식을 세운다.

처음 A 그릇의 설탕물에 들어 있는 설탕의 양은

$$\frac{x}{100}\times300=3x\,(g)$$

처음 B 그릇의 설탕물에 들어 있는 설탕의 양은

$$\frac{y}{100}\times200=2y\,(g)$$

또 A 그릇에서 덜어 낸 설탕물 50 g에 들어 있는 설탕의 양은

$$\frac{x}{100}\times50=\frac{x}{2}\,(g)$$

따라서 나중 A 그릇의 설탕물의 농도는

$$\frac{3x-\frac{x}{2}}{300-50+100}\times100=\frac{\frac{5x}{2}}{350}\times100$$

$$=\frac{5x}{2\times350}\times100$$

$$=\frac{5}{7}x\,(\%)$$

나중 B 그릇의 설탕물의 농도는

$$\frac{2y+\frac{x}{2}}{200+50}\times100=\frac{\frac{4y+x}{2}}{250}\times100$$

$$=\frac{4y+x}{2\times250}\times100$$

$$=\frac{x+4y}{5}$$

$$=\frac{1}{5}x+\frac{4}{5}y\,(\%)$$

08 (길잡이) 저울의 평형을 이용하여 식을 세운 후 하나의 문자를 사용한 식으로 변형한다.

○, □, △의 무게를 각각 a, b, c라 하면

첫 번째 저울에서 $2a+2b=5a$이므로

$$2b=3a\quad\therefore b=\frac{3}{2}a$$

두 번째 저울에서 $3b=a+5c$이므로

$$3\times\frac{3}{2}a=a+5c,\ \frac{9}{2}a=a+5c$$

$$\frac{7}{2}a=5c\quad\therefore c=\frac{7}{10}a$$

따라서 □와 △의 무게의 비는

$$b:c=\frac{3}{2}a:\frac{7}{10}a=15:7$$

P. 44~48 개념+ ^{대표} 문제 확인하기

1 $2(x-3)=4x+13$	**2** ③	**3** ⑤	**4** ④	
5 ③	**6** ㄷ, ㄹ, ㅂ	**7** ②	**8** ④	
9 $x=\frac{7}{5}$	**10** ④	**11** ②	**12** ④	**13** ③
14 12	**15** $x=-\frac{5}{2}$	**16** $x=2$ 또는 $x=10$		
17 ③	**18** ③	**19** 84	**20** 12세	**21** 38개
22 14 cm	**23** 5시간	**24** 4 km	**25** 5분 후	**26** 45 g
27 100 g	**28** 264명	**29** 3200원		

1 어떤 수 x에서 3을 뺀 수의 2배는 x의 4배보다 13이 크다.
$$\underbrace{2(x-3)}_{2(x-3)}=\underbrace{4x+13}_{4x+13}$$

$$\therefore 2(x-3)=4x+13$$

2 [ ] 안의 수를 주어진 방정식의 x의 값에 대입하면

① $-1-3\neq2\times(-1-2)$

② $2\times1-9\neq7\times1$

③ $12\times0+1=1$

④ $5\times(-3-1)-3\neq7$

⑤ $\frac{1}{2}\times(6-1)\neq3-6$

따라서 [ ] 안의 수가 주어진 방정식의 해인 것은 ③이다.

3 x의 값에 관계없이 항상 참이 되는 등식은 항등식이다.

⑤ (좌변)$=6-12x$, (우변)$=-12x+6$에서 (좌변)$=$(우변)이므로 항등식이다.

4 ① $a=b$의 양변에 5를 곱하면 $5a=5b$

② $c=0$이면 성립하지 않는다.

③ $\frac{a}{2}=\frac{b}{3}$의 양변에 6을 곱하면 $3a=2b$

④ $3a-1=2b-3$의 양변을 6으로 나누면 $\frac{a}{2}-\frac{1}{6}=\frac{b}{3}-\frac{1}{2}$

⑤ $a=2b$의 양변에서 2를 빼면 $a-2=2b-2$

즉, $a-2=2(b-1)$

따라서 옳은 것은 ④이다.

5 그림에서 알 수 있는 등식의 성질은 '등식의 양변에서 같은 수를 빼도 등식은 성립한다.'이다.

① $\frac{1}{3}x=2$의 양변에 3을 곱하면 $x=6$

② $3x=-15$의 양변을 3으로 나누면 $x=-5$

③ $x+7=3$의 양변에서 7을 빼면 $x=-4$

④ $0.2x=0.8$의 양변에 10을 곱하면 $2x=8$

$2x=8$의 양변을 2로 나누면 $x=4$

⑤ $4x-2=8$의 양변에 2를 더하면 $4x=10$

$4x=10$의 양변을 4로 나누면 $x=\frac{5}{2}$

따라서 주어진 그림에서 알 수 있는 등식의 성질을 이용한 것은 ③이다.

6 등식의 모든 항을 좌변으로 이항하여 정리한 식이
(일차식)$=0$의 꼴로 나타나는 것을 찾는다.

ㄱ. 정리하면 $3=0$이므로 일차방정식이 아니다.

ㄴ, ㅁ. 등식이 아니므로 일차방정식이 아니다.

ㄷ. 정리하면 $-10x+4=0$ (일차방정식)

ㄹ. $-6x=0$ (일차방정식)

ㅂ. 정리하면 $3x-4=0$ (일차방정식)

따라서 일차방정식인 것은 ㄷ, ㄹ, ㅂ이다.

7 등식의 모든 항을 좌변으로 이항하여 정리하면
$(a-3)x-(4+b)=0$

이 식이 x에 대한 일차방정식이 되려면 (일차식)$=0$의 꼴이
어야 하므로

$a-3\neq0$ $\therefore a\neq3$

8 ① $2x+x=-4-5,\ 3x=-9$ $\therefore x=-3$

② $x-2x=10-7,\ -x=3$ $\therefore x=-3$

③ $4x-2+x=-17,\ 5x=-15$ $\therefore x=-3$

④ $3x-12=x-6,\ 2x=6$ $\therefore x=3$

⑤ $5x+5=-4+2x,\ 3x=-9$ $\therefore x=-3$

따라서 해가 나머지 넷과 다른 하나는 ④이다.

9 $7-\{4-(3x+2)\}=2(6-x)$에서

$7-(4-3x-2)=12-2x$

$7-(2-3x)=12-2x$

$7-2+3x=12-2x$

$5x=7$ $\therefore x=\dfrac{7}{5}$

10 $5-ax=3(2x-1)$에 $x=2$를 대입하면

$5-2a=9,\ -2a=4$ $\therefore a=-2$

$\therefore a^2-2a+4=(-2)^2-2\times(-2)+4=12$

11 $4x-(x-a)=12$에서 $4x-x+a=12$

$3x=12-a$ $\therefore x=\dfrac{12-a}{3}$

이때 $\dfrac{12-a}{3}$가 자연수가 되려면 $12-a$는 3의 배수이어야
한다.

$12-a=3$일 때, $a=9$

$12-a=6$일 때, $a=6$

$12-a=9$일 때, $a=3$

$12-a=12$일 때, $a=0$

따라서 자연수 a는 3, 6, 9의 3개이다.

12 $0.5x=\dfrac{2x+1}{3}-1$에서 $\dfrac{1}{2}x=\dfrac{2x+1}{3}-1$

양변에 6을 곱하면 $3x=2(2x+1)-6$

$3x=4x+2-6,\ -x=-4$

$\therefore x=4$

13 $\dfrac{x+3}{5}:2=(x-4):3$에서 $\dfrac{3(x+3)}{5}=2(x-4)$

양변에 5를 곱하면 $3(x+3)=10(x-4)$

$3x+9=10x-40,\ -7x=-49$

$\therefore x=7$

14 $5(x-3)=2x-18$에서 $5x-15=2x-18$

$3x=-3$ $\therefore x=-1$

$\dfrac{a(x+2)}{3}-\dfrac{2-ax}{4}=\dfrac{1}{2}$에 $x=-1$을 대입하면

$\dfrac{a}{3}-\dfrac{2+a}{4}=\dfrac{1}{2}$

양변에 12를 곱하면 $4a-3(2+a)=6$

$4a-6-3a=6$

$\therefore a=12$

15 상수 a의 부호를 반대로 보았으므로

$0.3-\dfrac{x-5}{2}=1.5(\text{─}ax-4.8)$

양변에 10을 곱하면 $3-5(x-5)=15(-ax-4.8)$

$3-5x+25=-15ax-72$

이 식에 $x=2$를 대입하면

$3-10+25=-30a-72,\ 30a=-90$

$\therefore a=-3$

따라서 처음 일차방정식은

$0.3-\dfrac{x-5}{2}=1.5(-3x-4.8)$

양변에 10을 곱하면 $3-5(x-5)=15(-3x-4.8)$

$3-5x+25=-45x-72,\ 40x=-100$

$\therefore x=-\dfrac{5}{2}$

16 (i) $x\geq6$일 때

$x-6=4$ $\therefore x=10$

(ii) $x<6$일 때

$-(x-6)=4,\ -x+6=4$

$-x=-2$ $\therefore x=2$

따라서 (i), (ii)에 의해 $x=2$ 또는 $x=10$

> **개념 더하기 자세히 보기**
>
> **절댓값 기호를 포함하는 방정식**
> 절댓값 기호를 포함하는 방정식은 범위를 나누어 푼다.
> $|x-a|=b(b\geq0)$이면 $x=a+b$ 또는 $x=a-b$
>
> **설명** (i) $x\geq a$일 때, $|x-a|=x-a$이므로
> $x-a=b$에서 $x=a+b$
>   (ii) $x<a$일 때, $|x-a|=-(x-a)$이므로
> $-x+a=b$에서 $x=a-b$

17 $ax-4(x+a)=6$에서 $ax-4x-4a=6$

$(a-4)x=4a+6$ $\cdots$ ㉠

㉠을 만족시키는 x의 값은 없으므로

$a-4=0,\ 4a+6\neq0$ $\therefore a=4$

$-3(x+2)=-6+bx$에서 $-3x-6=-6+bx$

$-(b+3)x=0$ $\cdots$ ㉠

㉠을 만족시키는 x의 값은 무수히 많으므로

$b+3=0$ $\therefore b=-3$

$\therefore a+b=4+(-3)=1$

18 연속하는 세 홀수를 $x-2$, x, $x+2$라 하면

$(x-2)+x+(x+2)=105$, $3x=105$ $\therefore x=35$

따라서 세 홀수는 33, 35, 37이므로 가장 큰 수와 가장 작은 수의 합은

$37+33=70$

19 처음 수의 일의 자리의 숫자를 x라 하면

처음 수는 $80+x$, 십의 자리의 숫자와 일의 자리의 숫자를 바꾼 수는 $10x+8$이므로

$10x+8=80+x-36$, $9x=36$ $\therefore x=4$

따라서 처음 수는 84이다.

20 현재 은비의 나이를 x세라 하면 현재 아버지의 나이는 $(50-x)$세이므로

$(50-x)+12=2(x+12)+2$, $62-x=2x+26$

$-3x=-36$ $\therefore x=12$

따라서 현재 은비의 나이는 12세이다.

21 학생 수를 x명이라 하면

한 학생에게 5개씩 나누어 주면 3개가 남으므로 사탕의 개수는 $(5x+3)$개

한 학생에게 6개씩 나누어 주면 4개가 부족하므로 사탕의 개수는 $(6x-4)$개

이때 사탕의 개수는 일정하므로

$5x+3=6x-4$, $-x=-7$ $\therefore x=7$

따라서 학생 수는 7명이므로 사탕의 개수는

$5 \times 7+3=38$(개)

22 새로운 직사각형의 가로의 길이는 $(10+x)$ cm이고, 세로의 길이는 $(10-2)$ cm이므로

$(10+x) \times (10-2)=112$, $8(10+x)=112$

$10+x=14$ $\therefore x=4$

따라서 새로운 직사각형의 가로의 길이는

$10+4=14$(cm)

23 전체 일의 양을 1이라 하면 수지와 은지가 1시간 동안 하는 일의 양은 각각 $\frac{1}{10}$, $\frac{1}{14}$이다.

수지가 입력한 시간을 x시간이라 하면 은지가 입력한 시간은 $(12-x)$시간이므로 $\frac{1}{10} \times x+\frac{1}{14} \times (12-x)=1$

양변에 70을 곱하면 $7x+5(12-x)=70$

$7x+60-5x=70$, $2x=10$ $\therefore x=5$

따라서 수지가 일한 시간은 5시간이다.

24 올라간 거리를 x km라 하면 내려온 거리도 x km이다.

(올라갈 때 걸린 시간)+(내려올 때 걸린 시간)

$=$(2시간 20분)

이므로

$\frac{x}{3}+\frac{x}{4}=2\frac{20}{60}$, $\frac{x}{3}+\frac{x}{4}=\frac{7}{3}$

양변에 12를 곱하면 $4x+3x=28$

$7x=28$ $\therefore x=4$

따라서 올라간 거리는 4 km이다.

25 형이 집을 출발한 지 x분 후에 동생을 만난다고 하면

(동생이 걸은 거리)=(형이 자전거를 탄 거리)이므로

$50 \times (x+12)=170 \times x$, $50x+600=170x$

$-120x=-600$ $\therefore x=5$

따라서 형은 집을 출발한 지 5분 후에 동생을 만난다.

26 6 %의 설탕물 200 g에 들어 있는 설탕의 양은

$\frac{6}{100} \times 200=12$(g)

더 넣어야 하는 설탕의 양을 x g이라 하면

$12+x=\frac{20}{100} \times (200+40+x)$

양변에 100를 곱하면 $1200+100x=4800+20x$

$80x=3600$ $\therefore x=45$

따라서 더 넣어야 하는 설탕의 양은 45 g이다.

27 7 %의 소금물의 양을 x g이라 하면 4 %의 소금물의 양은 $(300-x)$ g이므로

$\frac{7}{100} \times x+\frac{4}{100} \times (300-x)=\frac{6}{100} \times 300$

양변에 100을 곱하면 $7x+1200-4x=1800$

$3x=600$ $\therefore x=200$

따라서 7 %의 소금물의 양은 200 g, 4 %의 소금물의 양은 100 g이므로 두 소금물의 양의 차는

$200-100=100$(g)

28 작년의 여학생 수를 x명이라 하면 작년의 남학생 수는 $(500-x)$명이므로

$-\frac{5}{100} \times (500-x)+\frac{10}{100} \times x=11$

양변에 100을 곱하면 $-2500+5x+10x=1100$

$15x=3600$ $\therefore x=240$

따라서 작년의 여학생 수는 240명이므로 올해의 여학생 수는

$240+240 \times \frac{10}{100}=240+24=264$(명)

29 수첩의 원가를 x원이라 하면

(정가)$=x+\dfrac{25}{100}x=\dfrac{5}{4}x$(원)이므로

(판매 가격)$=$(정가)$-300=\dfrac{5}{4}x-300$(원)

이때 (실제 이익)$=$(판매 가격)$-$(원가)이므로

$\left(\dfrac{5}{4}x-300\right)-x=500$, $\dfrac{1}{4}x-300=500$

$\dfrac{1}{4}x=800$ $\therefore x=3200$

따라서 수첩의 원가는 3200원이다.

P. 49~53 **내신 5% 따라잡기**

1 ③	**2** ①	**3** 52	**4** ②	**5** 6
6 ⑤	**7** -2	**8** ④	**9** $\dfrac{5}{11}$	**10** 6
11 $\dfrac{7}{3}$	**12** ⑤	**13** $-\dfrac{1}{8}$	**14** -2	**15** ④
16 $-1, 2$	**17** $x=1$	**18** ③	**19** ⑤	**20** ④
21 84세	**22** ④	**23** 125 g	**24** 46 cm	**25** $\dfrac{12}{5}$시간
26 ⑤	**27** 7시 $\dfrac{60}{11}$분 (또는 7시 $5\dfrac{5}{11}$분)		**28** ③	
29 ①	**30** 150 m	**31** 80 g	**32** $\dfrac{600}{7}$ g	**33** 120명
34 8000원				

1 $3x-8=a(x-2)-5x-b$가 x에 대한 항등식이므로

$3x-8=ax-2a-5x-b$

즉, $3x-8=(a-5)x-2a-b$에서

$3=a-5$, $-8=-2a-b$ $\therefore a=8, b=-8$

$\therefore a+b=8+(-8)=0$

2 주어진 방정식에 $x=-1$을 대입하면

$-4k+3b=2ak+3$ $\cdots$ ㉠

㉠이 k에 대한 항등식이므로

$-4=2a$, $3b=3$ $\therefore a=-2, b=1$

$\therefore 3a-b=3\times(-2)-1=-7$

3 $\dfrac{5x-2}{3}=6$에서

$\dfrac{5x-2}{3}\times\boxed{3}=6\times\boxed{3}$

$5x-2=\boxed{18}$

$5x-2+\boxed{2}=\boxed{18}+\boxed{2}$

$5x=\boxed{20}$

$\dfrac{5x}{\boxed{5}}=\dfrac{\boxed{20}}{\boxed{5}}$

$\therefore x=\boxed{4}$

$\therefore$ ㈎ 3, ㈏ 18, ㈐ 2, ㈑ 20, ㈒ 5, ㈓ 4

따라서 구하는 합은

$3+18+2+20+5+4=52$

4 $4x^2-5x-(a-1)=-2ax^2-3x+6$에서

$4x^2-5x-a+1=-2ax^2-3x+6$

$(4+2a)x^2-2x-a-5=0$ $\cdots$ ㉠

㉠이 x에 대한 일차방정식이려면 x^2의 계수가 0이어야 하므로

$4+2a=0$, $2a=-4$

$\therefore a=-2$

㉠에 $a=-2$를 대입하면

$-2x+2-5=0$, $-2x=3$

$\therefore x=-\dfrac{3}{2}$

5 $4x-5=x+1$에서 $3x=6$ $\therefore x=2$

따라서 $ax-2=22+bx$의 해는 $x=4$이므로

$4a-2=22+4b$, $4a-4b=24$, $4(a-b)=24$

$\therefore a-b=6$

6 $2x-a=1$에서 $x=\dfrac{a+1}{2}$

$3x-2=4(x-a)+15$에서 $3x-2=4x-4a+15$

$-x=-4a+17$ $\therefore x=4a-17$

이때 두 일차방정식의 해가 같으므로

$\dfrac{a+1}{2}=4a-17$, $a+1=8a-34$

$-7a=-35$ $\therefore a=5$

즉, 세 일차방정식의 해는 $x=\dfrac{a+1}{2}=\dfrac{5+1}{2}=3$이다.

따라서 $5bx+9=4x$에 $x=3$을 대입하면

$15b+9=12$, $15b=3$ $\therefore b=\dfrac{1}{5}$

$\therefore ab=5\times\dfrac{1}{5}=1$

7 $a-b=3a-5b$에서

$-2a=-4b$ $\therefore a=2b$

$x=\dfrac{4a-3b}{a+2b}$에 $a=2b$를 대입하면

$x=\dfrac{8b-3b}{2b+2b}=\dfrac{5b}{4b}=\dfrac{5}{4}$

따라서 $-4x+m=-7$의 해가 $x=\dfrac{5}{4}$이므로

$-4\times\dfrac{5}{4}+m=-7$, $-5+m=-7$

$\therefore m=-2$

8 $1:(9-2x)=5:a$에서 $a=5(9-2x)$

$a=45-10x$, $10x=45-a$ $\therefore x=\dfrac{45-a}{10}$

이때 $\dfrac{45-a}{10}$가 자연수이려면 $45-a$는 10의 배수이어야 한다.

$45-a=10$일 때, $a=35$

$45-a=20$일 때, $a=25$

$45-a=30$일 때, $a=15$

$45-a=40$일 때, $a=5$

$45-a=50$일 때, $a=-5$

따라서 자연수 a는 5, 15, 25, 35이므로 구하는 합은

$5+15+25+35=80$

9 오른쪽 그림에서

㉠은 $(2x-3)+5x=7x-3$

㉡은 $5x+(-x+4)=4x+4$

따라서

$(7x-3)+(4x+4)=6$

이므로

$11x+1=6$, $11x=5$ $\quad \therefore x=\dfrac{5}{11}$

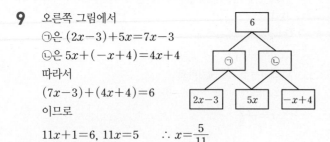

10 마주 보는 면에 적힌 두 식의 합이 모두 같으므로

$(5-x)+(3x-2)=(x-1)+(2x-7)$

$2x+3=3x-8$, $-x=-11$ $\quad \therefore x=11$

$(x-3)+(x+a)=(x-1)+(2x-7)$에서

$8+11+a=10+15$ $\quad \therefore a=6$

11 $\dfrac{1}{2}x-0.75x=\dfrac{2x-7}{6}$에서

$\dfrac{1}{2}x-\dfrac{3}{4}x=\dfrac{2x-7}{6}$

양변에 12를 곱하면 $6x-9x=2(2x-7)$

$-3x=4x-14$, $-7x=-14$

$\therefore x=2$

$0.2(2x+1)=0.4(4x-3)$의 양변에 10을 곱하면

$2(2x+1)=4(4x-3)$, $4x+2=16x-12$

$-12x=-14$ $\quad \therefore x=\dfrac{7}{6}$

따라서 $a=2$, $b=\dfrac{7}{6}$이므로

$ab=2\times\dfrac{7}{6}=\dfrac{7}{3}$

12 두 일차방정식의 해가 $x=-1$로 같으므로

$\dfrac{x}{2}+\dfrac{a-x}{6}=\dfrac{1}{2}(x+2)$에 $x=-1$을 대입하면

$-\dfrac{1}{2}+\dfrac{a+1}{6}=\dfrac{1}{2}$

양변에 6을 곱하면

$-3+a+1=3$ $\quad \therefore a=5$

$0.5(x-2)-0.3(x+b)=-1.5$에 $x=-1$을 대입하면

$-1.5-0.3(-1+b)=-1.5$

양변에 10을 곱하면 $-15-3(-1+b)=-15$

$-15+3-3b=-15$, $-3b=-3$

$\therefore b=1$

$\therefore a-b=5-1=4$

13 $(x+2):(x-1)=4:3$에서 $3(x+2)=4(x-1)$

$3x+6=4x-4$, $-x=-10$ $\quad \therefore x=10$

따라서 $\dfrac{x-1}{4}-\dfrac{x+2a}{3}=-1$에 $x=10$을 대입하면

$\dfrac{9}{4}-\dfrac{10+2a}{3}=-1$

양변에 12를 곱하면 $27-4(10+2a)=-12$

$27-40-8a=-12$, $-8a=1$

$\therefore a=-\dfrac{1}{8}$

14 $[4.5]=4$, $[-6.1]=-7$, $[3.9]=3$이므로

$4x-(-7)=2(x-3)$, $4x+7=2x-6$

$2x=-13$ $\quad \therefore x=-\dfrac{13}{2}=-6.5$

따라서 $k=-6.5$이므로

$5+[k]=5+[-6.5]=5+(-7)=-2$

15 $2 \blacklozenge x=2x-2\times2=2x-4$,

$\dfrac{x-3}{2}\blacklozenge 6=\dfrac{x-3}{2}\times6-2\times\dfrac{x-3}{2}$

$\qquad\qquad =3x-9-x+3=2x-6$

이므로

$A=(2\blacklozenge x)+\left(\dfrac{x-3}{2}\blacklozenge 6\right)$

$\quad =(2x-4)+(2x-6)$

$\quad =4x-10$

또 $(-1)\blacklozenge 0.2x=(-1)\times0.2x-2\times(-1)$

$\qquad\qquad\qquad =-0.2x+2$

이므로

$B=(-1)\blacklozenge 0.2x=-0.2x+2=-\dfrac{1}{5}x+2$

이때 $A=B$이므로

$4x-10=-\dfrac{1}{5}x+2$

양변에 5를 곱하면 $20x-50=-x+10$

$21x=60$ $\quad \therefore x=\dfrac{20}{7}$

16 $\dfrac{1}{2}x+3=\dfrac{3}{4}x$의 양변에 4를 곱하면

$2x+12=3x$, $-x=-12$ $\quad \therefore x=12$

즉, $|2a-1|=3$이다.

(ⅰ) $2a\geq1$, 즉 $a\geq\dfrac{1}{2}$일 때

$|2a-1|=2a-1$이므로

$2a-1=3$, $2a=4$ $\quad \therefore a=2$

(ⅱ) $2a<1$, 즉 $a<\dfrac{1}{2}$일 때

$|2a-1|=-(2a-1)$이므로

$-(2a-1)=3$, $-2a+1=3$

$-2a=2$ $\quad \therefore a=-1$

따라서 (ⅰ), (ⅱ)에 의해

$a=-1$ 또는 $a=2$

17 $ax-8=(5-b)x-4b$를 만족시키는 x의 값이 무수히 많으므로

$(a+b-5)x=-4b+8$에서 $a+b-5=0$, $-4b+8=0$

$-4b+8=0$에서 $-4b=-8$ ∴ $b=2$

$a+b-5=0$에서 $a+2-5=0$ ∴ $a=3$

따라서 $3x-\dfrac{x+2}{a}=b$에 $a=3$, $b=2$를 대입하면

$3x-\dfrac{x+2}{3}=2$

양변에 3을 곱하면 $9x-x-2=6$

$8x=8$ ∴ $x=1$

18 $0.3(4x+6)=0.2(-ax+b)$의 양변에 10을 곱하면

$3(4x+6)=2(-ax+b)$

$12x+18=-2ax+2b$

즉, $(12+2a)x=2b-18$을 만족시키는 x의 값이 없으므로

$12+2a=0$, $2b-18\neq0$

따라서 $a=-6$, $b\neq9$이어야 하므로 $a+b$의 값이 될 수 없는 것은 3이다.

19 오른쪽 그림에서 십자가 모양의 5개의 수 중 가운데 있는 수를 x라 하면

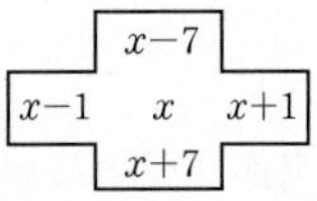

$(x-7)+(x-1)+x$
$\qquad\qquad +(x+1)+(x+7)=120$

$5x=120$ ∴ $x=24$

따라서 가장 큰 수는

$x+7=24+7=31$

20 8분인 곡의 수를 x곡이라 하면 6분인 곡의 수는

$7-1-x=6-x$(곡)이다.

$6(6-x)+7\times1+8x+\dfrac{10}{60}\times6=52$이므로

$36-6x+7+8x+1=52$, $2x=8$ ∴ $x=4$

따라서 8분인 것은 4곡이다.

21 디오판토스가 사망한 나이를 x세라 하면

$\dfrac{1}{6}x+\dfrac{1}{12}x+\dfrac{1}{7}x+5+\dfrac{1}{2}x+4=x$

양변에 84를 곱하면

$14x+7x+12x+420+42x+336=84x$

$-9x=-756$ ∴ $x=84$

따라서 디오판토스는 84세에 사망하였다.

22 의자의 개수를 x개라 하면 한 의자에 8명씩 앉을 때 빈자리가 남아 있는 의자가 3개이므로

$6x+10=8(x-3)+6$, $6x+10=8x-24+6$

$-2x=-28$ ∴ $x=14$

따라서 의자의 개수는 14개이므로 전체 학생 수는

$6\times14+10=94$(명)

23 A 통에 들어 있던 페인트의 양을 $x\,\mathrm{g}$이라 하면 B 통에 들어 있던 페인트의 양은 $(250-x)\,\mathrm{g}$이다.

이때 노란색 페인트가 A 통에는 $\dfrac{5}{7}x\,\mathrm{g}$, B 통에는

$\dfrac{1}{7}(250-x)\,\mathrm{g}$, C 통에는 $\left(\dfrac{3}{7}\times250\right)\mathrm{g}$이 들어 있으므로

$\dfrac{5}{7}x+\dfrac{1}{7}(250-x)=\dfrac{3}{7}\times250$, $5x+250-x=750$

$4x=500$ ∴ $x=125$

따라서 A 통에 들어 있던 페인트의 양은 $125\,\mathrm{g}$이다.

24 오른쪽 그림과 같이 작은 직사각형 모양의 종이 한 장의 긴 변의 길이를 $x\,\mathrm{cm}$라 하면 짧은 변의 길이는 $(x-2)\,\mathrm{cm}$이다.

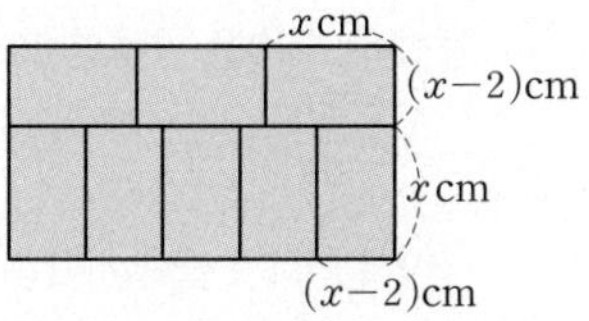

큰 직사각형의 윗변의 길이는 $x\times3=3x\,(\mathrm{cm})$,

아랫변의 길이는 $(x-2)\times5=5(x-2)\,(\mathrm{cm})$이고,

두 변의 길이는 같으므로

$3x=5(x-2)$, $3x=5x-10$

$-2x=-10$ ∴ $x=5$

따라서 큰 직사각형의 가로의 길이는

$3x=3\times5=15\,(\mathrm{cm})$이고, 세로의 길이는

$(x-2)+x=2x-2=2\times5-2=8\,(\mathrm{cm})$

이므로 구하는 둘레의 길이는

$2\times(15+8)=46\,(\mathrm{cm})$

25 물탱크에 물을 가득 채우는 데 필요한 물의 양을 1이라 하면 A, B 호스로 1시간 동안 각각 $\dfrac{1}{5}$, $\dfrac{1}{8}$의 물을 채울 수 있다.

A 호스만 사용한 시간을 x시간이라 하면 A 호스와 B 호스를 함께 사용한 시간은 $(4-x)$시간이므로

$\dfrac{1}{5}x+\left(\dfrac{1}{5}+\dfrac{1}{8}\right)(4-x)=1$

$\dfrac{1}{5}x+\dfrac{13}{40}(4-x)=1$

양변에 40을 곱하면 $8x+52-13x=40$

$-5x=-12$ ∴ $x=\dfrac{12}{5}$

따라서 A 호스만 사용한 시간은 $\dfrac{12}{5}$시간이다.

26 처음 양초 A의 길이를 $x\,\mathrm{cm}$라 하면 처음 양초 B의 길이는 $(x+6)\,\mathrm{cm}$이고 1분 동안 양초 A, B는 각각 $\dfrac{1}{50}x\,\mathrm{cm}$, $\dfrac{1}{20}(x+6)\,\mathrm{cm}$씩 탄다.

따라서 10분 후에 양초 A가 타고 남은 길이는

$x-\dfrac{1}{50}x\times10=\dfrac{4}{5}x\,(\mathrm{cm})$,

양초 B가 타고 남은 길이는

$(x+6)-\dfrac{1}{20}(x+6)\times10=\dfrac{1}{2}(x+6)\,(\mathrm{cm})$이다.

이때 두 양초의 남은 길이가 같으므로

$\frac{4}{5}x = \frac{1}{2}(x+6)$

양변에 10을 곱하면 $8x = 5(x+6)$

$8x = 5x+30$, $3x = 30$ $\therefore x = 10$

따라서 처음 양초 A의 길이는 10 cm이다.

27 7시 x분에 시침과 분침이 서로 반대 방향으로 일직선이 된다고 하면 7시로부터 x분 동안 분침이 이동한 각도는 $6x°$이고 12시로부터 시침이 이동한 각도는 $(7 \times 30 + 0.5x)°$이므로

$7 \times 30 + 0.5x - 6x = 180$, $-5.5x = -30$

양변에 -10을 곱하면 $55x = 300$

$\therefore x = \frac{60}{11} = 5\frac{5}{11}$

따라서 영화가 끝난 시각은 7시 $\frac{60}{11}$분$\left($또는 7시 $5\frac{5}{11}$분$\right)$이다.

> **참고** 분침은 1시간, 즉 60분 동안 360°를 움직이므로 1분에 $\frac{360°}{60} = 6°$를 움직인다.
>
> 시침은 1시간, 즉 60분 동안 $\frac{360°}{12} = 30°$를 움직이므로 1분에 $\frac{30°}{60} = 0.5°$를 움직인다.

28 두 사람이 출발한 지 x분 후에 처음 만난다고 하면

$90x + 60x = 3000$, $150x = 3000$ $\therefore x = 20$

따라서 두 사람은 20분마다 서로 만나므로 1시간 30분, 즉 90분 동안 4번 만날 수 있다.

29 배의 속력을 시속 x km라 하면

$(x+3) \times 2 = 36$, $x+3 = 18$ $\therefore x = 15$

따라서 배의 속력은 시속 15 km이므로 같은 속력의 배로 강을 24 km 거슬러 올라가는 데 걸리는 시간은

$\frac{24}{15-3} = \frac{24}{12} = 2$(시간)이다.

30 기차의 길이를 x m라 하면 기차의 속력은 일정하므로

$\frac{1800+x}{60} = \frac{500+x}{20}$

양변에 60을 곱하면 $1800 + x = 3(500+x)$

$1800 + x = 1500 + 3x$, $-2x = -300$

$\therefore x = 150$

따라서 기차의 길이는 150 m이다.

31 처음에 덜어 낸 10 %의 소금물 한 컵의 양을 x g이라 하면

$\frac{10}{100} \times 500 - \frac{10}{100} \times x + \frac{6}{100} \times 100 = \frac{8}{100} \times 600$

양변에 100을 곱하면 $5000 - 10x + 600 = 4800$

$-10x = -800$ $\therefore x = 80$

따라서 처음에 덜어 낸 10 %의 소금물 한 컵의 양은 80 g이다.

32 소금물 x g을 각각 덜어 내어 서로 바꾸었다고 하면 A, B그릇에 들어 있는 소금물의 농도가 같아졌으므로

$\frac{\frac{8}{100} \times (200-x) + \frac{12}{100} \times x}{200} \times 100$

$= \frac{\frac{12}{100} \times (150-x) + \frac{8}{100} \times x}{150} \times 100$

$\frac{1600+4x}{200} = \frac{1800-4x}{150}$

양변에 600을 곱하면 $4800 + 12x = 7200 - 16x$

$28x = 2400$ $\therefore x = \frac{600}{7}$

따라서 각각 $\frac{600}{7}$ g씩 덜어 내었다.

33 작년의 남자 신입생 수를 x명이라 하면 작년의 여자 신입생 수는 $(x-10)$명이므로

$\left(1 - \frac{25}{100}\right) \times x + \left(1 + \frac{20}{100}\right) \times (x-10) = 300$

$\frac{3}{4}x + \frac{6}{5}(x-10) = 300$

양변에 20을 곱하면 $15x + 24(x-10) = 6000$

$39x = 6240$ $\therefore x = 160$

따라서 올해의 남자 신입생 수는 $160 \times \frac{3}{4} = 120$(명)이다.

34 정가를 x원이라 하면 (판매 가격) $= x - \frac{25}{100}x = \frac{3}{4}x$(원)

이때 (판매 가격) $-$ (원가) $=$ (실제 이익)이므로

$\frac{3}{4}x - 15000 = \frac{15}{100} \times 15000$

$\frac{3}{4}x = 17250$ $\therefore x = 23000$

따라서 원가에 $23000 - 15000 = 8000$(원)의 이익을 붙여 정가를 매겨야 한다.

P. 54~55 내신 **1%** 뛰어넘기

01 $x = \frac{2}{5}$ **02** $x = -\frac{1}{2}$ **03** -5

04 $x = -\frac{2}{3}$ **05** $\frac{2}{3}$ **06** C **07** 5일

08 57점

01 **길잡이** x에 대한 일차방정식 $5(3x+k) - 11 = 6(2x-1) + 3k$의 해를 k를 사용한 식으로 먼저 나타내고, 그 해가 자연수가 되도록 하는 자연수 k의 값을 구한다.

$5(3x+k) - 11 = 6(2x-1) + 3k$에서

$15x + 5k - 11 = 12x - 6 + 3k$

$3x = -2k + 5$ $\therefore x = \frac{-2k+5}{3}$

이때 $\frac{-2k+5}{3}$가 자연수가 되려면 $-2k+5$는 3의 배수이어야 한다.

$-2k+5=3$일 때, $k=1$

$-2k+5=6$일 때, $k=-\dfrac{1}{2}$

따라서 자연수 k의 값은 1이다.

$\dfrac{k-4}{6}(2x-1)=\dfrac{2}{3}(x-k)+\dfrac{1}{2}$에 $k=1$을 대입하면

$-\dfrac{1}{2}(2x-1)=\dfrac{2}{3}(x-1)+\dfrac{1}{2}$

양변에 6을 곱하면 $-3(2x-1)=4(x-1)+3$

$-6x+3=4x-1$, $-10x=-4$ $\quad \therefore x=\dfrac{2}{5}$

02 길잡이 $\dfrac{\frac{A}{B}}{\frac{C}{D}}=\dfrac{A\times D}{B\times C}$임을 이용하여 주어진 식을 정리한 후 해를 구한다.

주어진 방정식에서

$(좌변)=x-\dfrac{2}{1-\frac{x}{x-1}}=x-\dfrac{2}{\frac{x-1-x}{x-1}}$

$\qquad =x-\dfrac{2}{\frac{-1}{x-1}}=x+2(x-1)=3x-2$

$(우변)=3x-\dfrac{4}{1-\frac{x}{x+1}}=3x-\dfrac{4}{\frac{x+1-x}{x+1}}$

$\qquad =3x-\dfrac{4}{\frac{1}{x+1}}=3x-4(x+1)=-x-4$

즉, 주어진 방정식은 $3x-2=-x-4$이므로

$4x=-2$ $\quad \therefore x=-\dfrac{1}{2}$

03 길잡이 ❶ 주어진 비례식에서 x, y를 z를 사용한 식으로 변형한다.
❷ p, q의 값을 구하여 $3p-2k-q=13$에 각각 대입한다.

$(x+z):z=3:1$에서 $x+z=3z$이므로

$x=2z$ $\quad \cdots \ \bigcirc$

$x:y=1:3$에서 $y=3x$이므로 $\bigcirc$을 대입하면

$y=3\times 2z=6z$

$p=\dfrac{3x-2y+10z}{-4x+3y+2z}=\dfrac{3\times 2z-2\times 6z+10z}{-4\times 2z+3\times 6z+2z}=\dfrac{4z}{12z}=\dfrac{1}{3}$

$q=\dfrac{x-y+6z}{3x-2y+5z}=\dfrac{2z-6z+6z}{3\times 2z-2\times 6z+5z}=\dfrac{2z}{-z}=-2$

따라서 $3p-2k-q=13$에 $p=\dfrac{1}{3}$, $q=-2$를 대입하면

$1-2k+2=13$, $-2k=10$ $\quad \therefore k=-5$

04 길잡이 $a\geq 0$일 때 $|a|=a$, $a<0$일 때 $|a|=-a$임을 이용하여 x의 값의 범위를 나누어 푼다.

(i) $x<-3$일 때, $-2(x+3)=5x+8$이므로

　　$-7x=14$ $\quad \therefore x=-2$

　　그런데 $-2>-3$이므로 해가 아니다.

(ii) $x\geq -3$일 때, $2(x+3)=5x+8$이므로

　　$-3x=2$ $\quad \therefore x=-\dfrac{2}{3}$

따라서 (i), (ii)에 의해 $x=-\dfrac{2}{3}$

05 길잡이 주어진 연산 기호 $*$에 따라 좌변의 식을 정리한 후 등식을 만족시키는 x의 값이 존재하지 않을 조건을 이용하여 k의 값을 구한다.

$\left(-\dfrac{2}{3}\right)*\left(\dfrac{3}{2}x-1\right)$

$=3\times\left(-\dfrac{2}{3}\right)\times\left(\dfrac{3}{2}x-1\right)-2\left(\dfrac{3}{2}x-1\right)$

$=-3x+2-3x+2=-6x+4$

이므로 $k*\left\{\left(-\dfrac{2}{3}\right)*\left(\dfrac{3}{2}x-1\right)\right\}=10$에서

$k*(-6x+4)=10$

$3k(-6x+4)-2(-6x+4)=10$

$-18kx+12k+12x-8=10$

$(12-18k)x=18-12k$ $\qquad \cdots \ \bigcirc$

따라서 등식 $\bigcirc$을 만족시키는 x의 값이 존재하지 않으려면

$12-18k=0$, $18-12k\neq 0$이어야 한다.

$12-18k=0$에서 $-18k=-12$ $\quad \therefore k=\dfrac{2}{3}$

$k=\dfrac{2}{3}$일 때, $18-12k=10\neq 0$이므로 $k=\dfrac{2}{3}$이다.

06 길잡이 ❶ 주어진 자료에서 세운 식을 한 문자를 사용한 식으로 변형한다.
❷ 5명의 후보자의 득표수의 합은 전체 학생 수 135명과 같음을 이용한다.

A, B, C, D, E의 득표수를 각각 a, b, c, d, e라 하면

㈎에서 $a=\dfrac{1}{3}c+8$ $\hspace{3cm} \cdots \ \bigcirc$

㈏에서 $c=2e+6$ $\hspace{3.5cm} \cdots \ \bigcirc\!\bigcirc$

㈐에서 $a+d=3e$ $\hspace{3.2cm} \cdots \ \bigcirc\!\bigcirc\!\bigcirc$

㈑에서 $b=e+3$

$\bigcirc$, $\bigcirc\!\bigcirc$에서 $a=\dfrac{1}{3}(2e+6)+8=\dfrac{2}{3}e+10$ $\quad \cdots \ \text{㉣}$

$\bigcirc\!\bigcirc\!\bigcirc$, ㉣에서 $d=3e-a=3e-\left(\dfrac{2}{3}e+10\right)=\dfrac{7}{3}e-10$

5명의 후보자의 득표수의 합은 전체 학생 수 135명과 같으므로

$a+b+c+d+e=135$

$\left(\dfrac{2}{3}e+10\right)+(e+3)+(2e+6)+\left(\dfrac{7}{3}e-10\right)+e=135$

$7e+9=135$, $7e=126$

$\therefore e=18$

따라서 5명의 후보자의 득표수는 각각

$a=\dfrac{2}{3}\times 18+10=22$, $b=18+3=21$,

$c=2\times 18+6=42$, $d=\dfrac{7}{3}\times 18-10=32$, $e=18$

이므로 득표수가 가장 많은 C가 회장으로 선출되었다.

07 길잡이 A, B가 혼자서 일할 때와 함께 일할 때 하루 동안 하는 일의 양을 각각 구한 후 B가 혼자서 일한 기간을 x일로 놓고 식을 세운다.

전체 일의 양을 1이라 하면 A, B가 혼자서 일할 때 하루 동안 하는 일의 양은 각각 $\dfrac{1}{16}$, $\dfrac{1}{12}$이다.

또 A, B가 함께 일할 때 하루 동안 하는 일의 양은 각각

$\dfrac{1}{16}\times\dfrac{2}{3}=\dfrac{1}{24}$, $\dfrac{1}{12}\times\dfrac{2}{3}=\dfrac{1}{18}$이다.

B가 혼자서 일한 기간을 x일이라 하면

$\dfrac{1}{24} \times 6 + \dfrac{1}{18} \times 6 + \dfrac{1}{12}x = 1$, $\dfrac{1}{4} + \dfrac{1}{3} + \dfrac{1}{12}x = 1$

양변에 12를 곱하면 $3 + 4 + x = 12$

$\therefore x = 5$

따라서 B는 5일 동안 혼자서 일해야 한다.

08 길잡이 (전체 학생 100명의 총점)

= (수상자 16명의 총점) + (수상하지 못한 84명의 총점)

민지의 점수를 x점이라 하면

전체 학생 100명의 평균 점수는 $(x-30)$점, 수상자 16명의 평균 점수는 $(x+12)$점, 수상하지 못한 84명의 평균 점수는 $\dfrac{x}{3}$점이다.

16 × (수상자의 평균 점수)

+ 84 × (수상하지 못한 학생들의 평균 점수)

= 100 × (전체 학생들의 평균 점수)

이므로

$16(x+12) + 84 \times \dfrac{x}{3} = 100(x-30)$

$16x + 192 + 28x = 100x - 3000$

$-56x = -3192$　　$\therefore x = 57$

따라서 민지의 점수는 57점이다.

P. 56~57 **3~4** 서술형 완성하기

[과정은 풀이 참조]

1 4　　**2** $2x+18$　**3** $x=3$　**4** (1) $x=4$　(2) $\dfrac{2}{5}$

5 11일 후 **6** 2　　**7** 3　　**8** (1) 5명　(2) 50명

1 $\dfrac{x-y}{2} = \dfrac{x+y}{3}$에서 $3(x-y) = 2(x+y)$

$3x - 3y = 2x + 2y$　$\therefore x = 5y$　　…(i)

따라서 $\dfrac{x^2 - 5y^2}{xy}$에 $x = 5y$를 대입하면

$\dfrac{(5y)^2 - 5y^2}{5y \times y} = \dfrac{25y^2 - 5y^2}{5y^2} = \dfrac{20y^2}{5y^2} = 4$　　…(ii)

채점 기준	비율
(i) $\dfrac{x-y}{2} = \dfrac{x+y}{3}$ 를 간단히 하기	50%
(ii) $\dfrac{x^2 - 5y^2}{xy}$의 값 구하기	50%

2 $A + (4x+3) = -2x+5$이므로

$A = -2x + 5 - (4x+3)$

　　$= -2x + 5 - 4x - 3$

　　$= -6x + 2$　　…(i)

$B - (-3x+2) = x-6$이므로

$B = x - 6 + (-3x+2)$

　$= x - 6 - 3x + 2$

　$= -2x - 4$　　…(ii)

$\therefore A - 4B = (-6x+2) - 4(-2x-4)$

　　　　$= -6x + 2 + 8x + 16$

　　　　$= 2x + 18$　　…(iii)

채점 기준	비율
(i) 다항식 A 구하기	40%
(ii) 다항식 B 구하기	40%
(iii) $A - 4B$를 간단히 하기	20%

3 $\dfrac{x}{2} - \dfrac{x+a}{3} = -\dfrac{1}{2}(x-2)$에 $x=2$를 대입하면

$1 - \dfrac{2+a}{3} = 0$, $-\dfrac{2+a}{3} = -1$

$2 + a = 3$　　$\therefore a = 1$　　…(i)

$5x - 1 = 2(2x+a)$에 $a=1$을 대입하면

$5x - 1 = 2(2x+1)$, $5x - 1 = 4x + 2$

$\therefore x = 3$　　…(ii)

채점 기준	비율
(i) a의 값 구하기	50%
(ii) $5x-1 = 2(2x+a)$의 해 구하기	50%

4 (1) $\dfrac{7-x}{5} + 0.4x = 2$에서 $\dfrac{7-x}{5} + \dfrac{2}{5}x = 2$

양변에 5를 곱하면

$7 - x + 2x = 10$　　$\therefore x = 3$　　…(i)

이때 두 일차방정식의 해의 비가 3 : 4이므로

$0.4(x-1) = \dfrac{x}{5} + a$의 해는 $x=4$이다.　　…(ii)

(2) $0.4(x-1) = \dfrac{x}{5} + a$에 $x=4$를 대입하면

$0.4 \times (4-1) = \dfrac{4}{5} + a$, $1.2 = \dfrac{4}{5} + a$

$\dfrac{6}{5} = \dfrac{4}{5} + a$　　$\therefore a = \dfrac{2}{5}$　　…(iii)

채점 기준	비율
(i) $\dfrac{7-x}{5} + 0.4x = 2$의 해 구하기	40%
(ii) $0.4(x-1) = \dfrac{x}{5} + a$의 해 구하기	20%
(iii) a의 값 구하기	40%

5 x일 후에 희애의 저금통에 들어 있는 금액은 $(5800+500x)$원, 미애의 저금통에 들어 있는 금액은 $(9100+200x)$원이므로

$5800 + 500x = 9100 + 200x$　　…(i)

$300x = 3300$　　$\therefore x = 11$　　…(ii)

따라서 희애와 미애의 저금통에 들어 있는 금액이 같아지는 것은 11일 후이다.　　…(iii)

채점 기준	비율
(i) 일차방정식 세우기	50 %
(ii) 일차방정식의 해 구하기	40 %
(iii) 금액이 같아지는 것은 며칠 후인지 구하기	10 %

6 길을 제외한 화단의 넓이가 처음 화단의 넓이의 75 %이므로

$(20-x) \times (12-2) = 20 \times 12 \times \dfrac{75}{100}$ ⋯ (i)

$10(20-x)=180, \ 200-10x=180$

$-10x=-20$ ∴ $x=2$ ⋯ (ii)

채점 기준	비율
(i) 일차방정식 세우기	50 %
(ii) x의 값 구하기	50 %

7 $x-\dfrac{2}{3}(x+5a)=-8$의 양변에 3을 곱하면

$3x-2(x+5a)=-24, \ 3x-2x-10a=-24$

$x-10a=-24$ ∴ $x=-24+10a$ ⋯ (i)

$a=1$일 때, $x=-24+10\times1=-24+10=-14$

$a=2$일 때, $x=-24+10\times2=-24+20=-4$

$a=3$일 때, $x=-24+10\times3=-24+30=6$

따라서 해가 음의 정수가 되도록 하는 자연수 a의 값은 1, 2

이다. ⋯ (ii)

∴ $1+2=3$ ⋯ (iii)

채점 기준	비율
(i) 주어진 일차방정식의 해 구하기	40 %
(ii) a의 값 모두 구하기	50 %
(iii) a의 값의 합 구하기	10 %

8 (1) 합격한 남학생 수는 $35 \times \dfrac{2}{7} = 10$(명),

합격한 여학생 수는 $35 \times \dfrac{5}{7} = 25$(명)이다. ⋯ (i)

불합격한 여학생 수를 x명이라 하면 불합격한 남학생 수는 $2x$명, 지원한 남학생 수는 $(10+2x)$명, 지원한 여학생 수는 $(25+x)$명이다. ⋯ (ii)

이때 지원자의 남학생과 여학생의 비가 2 : 3이므로

$(10+2x) : (25+x) = 2 : 3$에서

$3(10+2x)=2(25+x), \ 30+6x=50+2x$

$4x=20$ ∴ $x=5$

따라서 불합격한 여학생 수는 5명이다. ⋯ (iii)

(2) 지원한 남학생 수는 20명, 지원한 여학생 수는 30명이므로 전체 지원자 수는 50명이다. ⋯ (iv)

채점 기준	비율
(i) 합격한 남학생과 여학생 수 구하기	20 %
(ii) 지원한 남학생과 여학생 수를 x를 사용한 식으로 나타내기	20 %
(iii) 불합격한 여학생 수 구하기	30 %
(iv) 전체 지원자 수 구하기	30 %

5. 좌표와 그래프

P. 60~61 개념+ 대표 문제 확인하기

1 ⑤　　**2** -8　　**3** 24　　**4** 제3사분면

5 1　　**6** ㄷ　　**7** A-ㄴ, B-ㄱ, C-ㄷ

8 (1) 1시간 후　(2) 90분　　　**9** ㄱ, ㄷ

1 ⑤ 점 E의 좌표는 E$(1, 0)$이다.

2 점 A$(a+3, \ b-2)$는 x축 위의 점이므로 y좌표가 0이다.

즉, $b-2=0$ ∴ $b=2$

점 B$(a+2b, \ 3a-b)$는 y축 위의 점이므로 x좌표가 0이다.

즉, $a+2b=0$에서 $a+4=0$ ∴ $a=-4$

∴ $ab=-4\times2=-8$

3 좌표평면 위에 세 점을 나타내면 오른쪽 그림과 같다.

∴ (삼각형 ABC의 넓이)

$= \dfrac{1}{2} \times 8 \times 6 = 24$

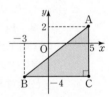

4 점 A(a, b)가 제4사분면 위의 점이므로 $a>0, \ b<0$

이때 $b-a<0, \ 2ab<0$이므로 점 B$(b-a, \ 2ab)$는 제3사분면 위의 점이다.

5 원점에 대하여 대칭이므로 x좌표, y좌표의 부호가 모두 반대이다.

즉, $-2a=a+3$에서 $-3a=3$ ∴ $a=-1$

$2b=b-2$에서 $b=-2$

∴ $a-b=-1-(-2)=1$

6 윤희가 이동한 거리는 자동차가 움직이는 동안에 일정하게 증가하고, 휴게소에 머문 동안에는 변화가 없다.

따라서 그래프로 알맞은 것은 ㄷ이다.

7 그릇 B, C의 단면의 넓이는 일정하므로 물의 높이가 일정하게 높아진다. 이때 단면의 넓이가 작을수록 물의 높이는 빠르게 높아진다.

따라서 그릇 B의 그래프는 ㄱ, 그릇 C의 그래프는 ㄷ이다.

그릇 A의 단면의 넓이는 위로 갈수록 커지므로 물의 높이는 점점 느리게 높아진다.

따라서 그릇 A의 그래프는 ㄴ이다.

8 (2) 자전거가 일정한 속력으로 움직인 시간은 출발한 지 1시간 후부터 1시간 30분 후까지, 2시간 후부터 3시간 후까지이므로 모두 1시간 30분, 즉 90분이다.

9 ㄴ. 동생이 출발한 지 1분 후에 형과 동생 사이의 거리는 $300-200=100$(m)이다.

ㄹ. 집과 서점 사이의 거리는 900 m이다.

1 10개 **2** 17 **3** $a=-1$, $b=-4$
4 제2사분면 **5** ② **6** ④ **7** ②
8 A−ㄱ, B−ㄷ, C−ㄴ
9 (1) 4초 (2) 초속 10 m **10** ③
11 (1) 3초 (2) $\dfrac{125}{2}$ cm²

---

1 $|a|\le2$이므로 $a=-2$, -1, 0, 1, 2
$|b|=3$이므로 $b=-3$, 3
따라서 순서쌍 (a, b)로 좌표평면 위에 나타낼 수 있는 점은
$(-2, -3)$, $(-2, 3)$, $(-1, -3)$, $(-1, 3)$, $(0, -3)$,
$(0, 3)$, $(1, -3)$, $(1, 3)$, $(2, -3)$, $(2, 3)$의 10개이다.

2 좌표평면 위에 세 점을 나타내면
오른쪽 그림과 같다.
∴ (삼각형 ABC의 넓이)
　＝(사각형 DECF의 넓이)
　　－{(삼각형 ADB의 넓이)
　　＋(삼각형 BEC의 넓이)
　　＋(삼각형 ACF의 넓이)}
$=6\times7-\left(\dfrac{1}{2}\times2\times5+\dfrac{1}{2}\times6\times2+\dfrac{1}{2}\times4\times7\right)$
$=42-(5+6+14)=17$

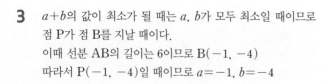

3 $a+b$의 값이 최소가 될 때는 a, b가 모두 최소일 때이므로
점 P가 점 B를 지날 때이다.
이때 선분 AB의 길이는 6이므로 $B(-1, -4)$
따라서 $P(-1, -4)$일 때이므로 $a=-1$, $b=-4$

4 점 $A(2a, b+3)$은 x축 위의 점이므로 y좌표가 0이다.
즉, $b+3=0$　∴ $b=-3$
점 $B(2a-1, b-2)$는 y축 위의 점이므로 x좌표가 0이다.
즉, $2a-1=0$　∴ $a=\dfrac{1}{2}$
점 $C\left(4a-1+c, \dfrac{1}{3}b+3\right)$, 즉 점 $C(1+c, 2)$는 어느 사분
면에도 속하지 않으면서 y좌표가 2이므로 y축 위의 점이다.
즉, x좌표가 0이므로 $1+c=0$　∴ $c=-1$
따라서 점 $(a+b, -c)$는 점 $\left(-\dfrac{5}{2}, 1\right)$이므로 제2사분면
위의 점이다.

5 점 $P(a-b, ab)$가 제4사분면 위의 점이므로
$a-b>0$, $ab<0$　∴ $a>0$, $b<0$
따라서 $b-a<0$, $ab^2>0$이므로 점 $Q(b-a, ab^2)$은 제2사
분면 위의 점이다.

6 $a+b<0$, $ab<0$, $|a|<|b|$이므로 $a>0$, $b<0$
① $ab<0$, $b-a<0$이므로 점 $(ab, b-a)$는 제3사분면 위의
점이다.

② $-2a<0$, $2b<0$이므로 점 $(-2a, 2b)$는 제3사분면 위의
점이다.
③ $\dfrac{a}{b}<0$, $a+b<0$이므로 점 $\left(\dfrac{a}{b}, a+b\right)$는 제3사분면 위의
점이다.
④ $-3b>0$, $\dfrac{a+b}{2}<0$이므로 점 $\left(-3b, \dfrac{a+b}{2}\right)$는 제4사
분면 위의 점이다.
⑤ $a+2b=(a+b)+b<0$, $ab+b<0$이므로
점 $(a+2b, ab+b)$는 제3사분면 위의 점이다.
따라서 나머지 넷과 다른 사분면 위에 있는 점은 ④이다.

7 점 $P(a, b)$는 제1사분면 위의 점이므로 $a>0$, $b>0$
점 Q는 점 P와 y축에 대하여 대칭인 점이므로 $Q(-a, b)$
점 R는 점 P와 원점에 대하여 대칭인 점이므로
$R(-a, -b)$
좌표평면 위에 세 점을 나타내면 오른쪽 그림과 같다. 이때 삼각형 PQR의 넓이가 30이므로
$\dfrac{1}{2}\times2a\times2b=30$, $2ab=30$
∴ $ab=15$

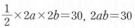

8 그릇 A의 단면의 넓이는 일정하다가 a 지점에서 b지점까지 점점 작아진 후 다시 일정하므로 물의 높이는 일정하게 높아지다가 점점 빠르게 높아진 후 다시 일정하게 높아진다.
따라서 그릇 A의 그래프는 ㄱ이다.
그릇 B의 단면의 넓이는 일정하다가 a 지점에서 한 번 작아진 후 계속 일정하므로 물의 높이는 일정하게 높아지다가 a 지점부터 전보다 빠르고 일정하게 높아진다.
따라서 그릇 B의 그래프는 ㄷ이다.
그릇 C의 단면의 넓이는 일정하다가 점점 넓어지므로 물의 높이가 일정하게 높아지다가 점점 느리게 높아진다.
따라서 그릇 C의 그래프는 ㄴ이다.

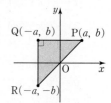

9 (1) 놀이 기구가 공중에서 멈추는 시간은 출발한 지 6초 후부터 8초 후까지, 12초 후부터 14초 후까지이므로 모두 4초이다.
(2) 놀이 기구는 출발한 지 6초 후까지 60 m 상승, 8초 후부터 10초 후까지 20 m 하강, 10초 후부터 12초 후까지 30 m 상승, 14초 후부터 16초 후까지 50 m 하강, 16초 후부터 18초 후까지 10 m 상승, 18초 후부터 20초 후까지 30 m 하강하였다.
즉, 지면에 도착할 때까지 이동한 거리는
$60+20+30+50+10+30=200\,(m)$
이때 놀이 기구가 지면에 도착할 때까지 걸린 시간은 20초이므로

$$\text{(평균 속력)} = \frac{\text{(전체 이동한 거리)}}{\text{(전체 걸린 시간)}} = \frac{200}{20} = 10\text{(m/s)}$$
따라서 놀이 기구의 평균 속력은 초속 10 m이다.

10 ① A, B는 출발 신호가 울릴 때, C는 출발 신호가 울리고 10초 후에 출발하였으므로 A, B가 출발한 지 10초 후에 C가 출발하였다.

② A와 B는 150 m 지점에서 만나므로 A는 150 m 지점 이후부터 B를 앞서기 시작하였다.

④ C가 출발한 지 10초 후에 처음으로 B와 만난다.

⑤ B는 출발한 지 60초 후에 다시 C를 앞서기 시작하였다.

11 (1) 칸막이 왼쪽에 물이 다 찬 후 오른쪽에 물이 차기 시작하므로 양쪽의 물의 높이가 같아질 때까지 물통에 있는 물의 최대 높이는 일정하다.

따라서 칸막이 오른쪽에 물이 차기 시작한 후부터 칸막이 양쪽의 물의 높이가 같아질 때까지 걸린 시간은 $10 - 7 = 3\text{(초)}$이다.

(2) 높이가 16 cm인 물통에 물을 가득 채우는 데 걸리는 시간은 20초이므로 물통의 부피는 $20 \times 50 = 1000\text{(cm}^3\text{)}$

따라서 물통 전체의 밑넓이는

$$1000 \div 16 = \frac{125}{2}\text{(cm}^2\text{)}$$

P. 64~65 내신 **1%** 뛰어넘기

01 $P_{40}(6, 4)$ **02** ①   **03** 60초   **04** ④   **05** 30분

01 [길잡이] x좌표와 y좌표의 합이 같은 점의 개수를 이용하여 점의 위치를 찾는다.

$P_1(1, 1)$
$P_2(2, 1), P_3(1, 2)$
$P_4(3, 1), P_5(2, 2), P_6(1, 3)$
$P_7(4, 1), P_8(3, 2), P_9(2, 3), P_{10}(1, 4)$
   $\vdots$

즉, x좌표와 y좌표의 합이 2, 3, 4, 5, …일 때, x좌표와 y좌표가 모두 정수인 점의 개수는 각각 1개, 2개, 3개, 4개, … 이다.

이때 $40 = (1+2+3+\cdots+8)+4 = 36+4$이므로 x좌표와 y좌표의 합이 10이면서 아래에서 왼쪽 대각선 방향으로 4번째 올라간 점의 좌표가 P_{40}이다.

따라서 $P_{37}(9, 1), P_{38}(8, 2), P_{39}(7, 3)$이므로 $P_{40}(6, 4)$

02 [길잡이] 점 (a, b)와 원점에 대하여 대칭인 점의 좌표는 $(-a, -b)$이고, x축에 대하여 대칭인 점의 좌표는 $(a, -b)$이다.

점 B는 점 $A(a, b)$와 원점에 대하여 대칭인 점이므로
$B(-a, -b)$

점 C는 점 B와 x축에 대하여 대칭인 점이므로 $C(-a, b)$

이와 같은 시행을 반복하면 점 D, E, F, …의 좌표는
$D(a, -b), E(a, b), F(-a, -b), \cdots$

따라서 점 A와 처음으로 겹쳐지는 점은 점 E이다.

03 [길잡이] 점 P, Q가 각각 원점 O에 되돌아오는 시간을 구한 후 두 점 P, Q가 첫 번째로 원점 O에서 다시 만나는 시간을 구한다.

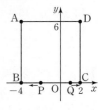

정사각형 ABCD는 한 변의 길이가 6이므로 둘레의 길이는 $6 \times 4 = 24$이다.

따라서 점 P는 4초마다 원점 O에 되돌아오고 점 Q는 6초마다 원점 O에 되돌아오므로 두 점 P, Q가 첫 번째로 원점 O에서 다시 만나는 것은 원점 O를 출발한 지 12초 후이다.

즉, 두 점 P, Q가 5번째로 원점에서 다시 만나는 것은 원점 O를 출발한 지 $12 \times 5 = 60\text{(초)}$ 후이다.

04 [길잡이] 점 P가 A → B, B → C, C → D로 움직일 때, 삼각형 APD의 넓이를 구하는 식에서 변화하는 길이를 생각한다.

(i) 점 P가 꼭짓점 A에서 꼭짓점 B까지 움직일 때
(삼각형 APD의 넓이)
$$= \frac{1}{2} \times \text{(선분 AD의 길이)} \times \text{(선분 AP의 길이)}$$
에서 선분 AD의 길이는 일정하고 선분 AP의 길이는 일정하게 길어지므로 삼각형 APD의 넓이는 일정하게 커진다.

(ii) 점 P가 꼭짓점 B에서 꼭짓점 C까지 움직일 때
(삼각형 APD의 넓이)
$$= \frac{1}{2} \times \text{(선분 AD의 길이)} \times \text{(선분 AB의 길이)}$$
에서 선분 AD의 길이와 선분 AB의 길이는 각각 일정하므로 삼각형 APD의 넓이는 시간에 관계없이 일정하다.

(iii) 점 P가 꼭짓점 C에서 꼭짓점 D까지 움직일 때
(삼각형 APD의 넓이)
$$= \frac{1}{2} \times \text{(선분 AD의 길이)} \times \text{(선분 DP의 길이)}$$
에서 선분 AD의 길이는 일정하고 선분 DP의 길이는 일정하게 짧아지므로 삼각형 APD의 넓이는 일정하게 작아진다.

따라서 (i)~(iii)에 의해 그래프로 알맞은 것은 ④이다.

05 [길잡이] 두 수도꼭지 A, B로 물을 넣을 때와 수도꼭지 B로 물을 넣을 때의 물의 양을 각각 구하여 수도꼭지 A로 1분 동안 넣을 수 있는 물의 양을 구한다.

주어진 그래프에서 두 수도꼭지 A, B로 5분 동안 60 L의 물을 넣고, 수도꼭지 B로 $10 - 5 = 5\text{(분)}$ 동안 $100 - 60 = 40\text{(L)}$의 물을 넣었다.

따라서 수도꼭지 A만을 이용하여 물을 넣는다면 5분 동안 $60 - 40 = 20\text{(L)}$의 물을 넣을 수 있다. 즉, 수도꼭지 A로 1분 동안 $\frac{20}{5} = 4\text{(L)}$의 물을 넣을 수 있으므로 수도꼭지 A만을 이용하여 용량이 120 L인 수족관에 물을 가득 채우는 데 걸리는 시간은 $120 \div 4 = 30\text{(분)}$이다.

1 -10　　**2** ③, ④　　**3** ③　　**4** 풀이 참조
5 ④, ⑤　　**6** -2　　**7** ④　　**8** -2　　**9** ③
10 $y=3x$, 15분　　**11** $y=24x$, 32 L　　**12** ③
13 ⑤

1 y가 x에 정비례하므로 $y=kx$로 놓는다.
이 식에 $x=-4$, $y=12$를 대입하면
$12=k\times(-4)$　　$\therefore k=-3$
$y=-3x$에 $x=a$, $y=-3$을 대입하면
$-3=-3\times a$　　$\therefore a=1$
$y=-3x$에 $x=3$, $y=b$를 대입하면
$b=-3\times3=-9$
$\therefore b-a=-9-1=-10$

2 ③ 점 $(-5, 25)$를 지난다.
④ 제2사분면과 제4사분면을 지난다.

3 $y=ax$에 $x=3$, $y=-2$를 대입하면
$-2=3a$　　$\therefore a=-\dfrac{2}{3}$
즉, $y=-\dfrac{2}{3}x$에 $x=-2$, $y=b$를 대입하면
$b=-\dfrac{2}{3}\times(-2)=\dfrac{4}{3}$
$\therefore a+b=-\dfrac{2}{3}+\dfrac{4}{3}=\dfrac{2}{3}$

4 $y=2|x|$에서
$x\geq0$이면 $|x|=x$이므로 $y=2x$
$x<0$이면 $|x|=-x$이므로 $y=-2x$
따라서 $y=2|x|$의 그래프는 다음 그림과 같다.

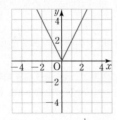

5 ① $y=3x$ ⇨ 정비례
② $y=24-x$
③ $y=5x$ ⇨ 정비례
④ $xy=9000$이므로 $y=\dfrac{9000}{x}$ ⇨ 반비례
⑤ (속력)$=\dfrac{(거리)}{(시간)}$이므로 $y=\dfrac{20}{x}$ ⇨ 반비례
따라서 y가 x에 반비례하는 것은 ④, ⑤이다.

6 y가 x에 반비례하므로 $y=\dfrac{a}{x}$로 놓는다.
이 식에 $x=-4$, $y=2$를 대입하면
$2=\dfrac{a}{-4}$　　$\therefore a=-8$
$y=-\dfrac{8}{x}$에 $y=4$를 대입하면
$4=-\dfrac{8}{x}$　　$\therefore x=-2$

7 ① x의 값이 2배, 3배, 4배, …로 변함에 따라
　y의 값은 $\dfrac{1}{2}$배, $\dfrac{1}{3}$배, $\dfrac{1}{4}$배, …로 변한다.
② a의 절댓값이 클수록 원점에서 멀어진다.
③ $a>0$이면 제1사분면과 제3사분면을 지난다.
⑤ 반비례 관계 $y=-\dfrac{a}{x}(a\neq0)$의 그래프와 만나지 않는다.

8 그래프가 원점에 대칭인 한 쌍의 곡선이므로 $y=\dfrac{a}{x}$로 놓는다.
이 식에 $x=3$, $y=4$를 대입하면
$4=\dfrac{a}{3}$　　$\therefore a=12$
즉, $y=\dfrac{12}{x}$에 $x=-6$, $y=k$를 대입하면
$k=\dfrac{12}{-6}=-2$

9 삼각형 ABP의 밑변의 길이가 x cm, 높이가 10 cm이므로
$y=\dfrac{1}{2}\times x\times10$　　$\therefore y=5x$

10 매분 3 L씩 물을 넣으므로 x와 y 사이의 관계식은 $y=3x$
이 물통에 물을 전체의 $\dfrac{3}{4}$만큼 채우면 물의 양은
$60\times\dfrac{3}{4}=45$(L)이므로 $y=3x$에 $y=45$를 대입하면
$45=3x$　　$\therefore x=15$
따라서 걸리는 시간은 15분이다.

11 5 L의 휘발유로 120 km를 갈 수 있으므로 1 L의 휘발유로 24 km를 갈 수 있다.
즉, x와 y 사이의 관계식은 $y=24x$
$y=24x$에 $y=768$을 대입하면
$768=24x$　　$\therefore x=32$
따라서 32 L의 휘발유가 필요하다.

12 6명이 40분 동안 한 일의 양과 x명이 y분 동안 한 일의 양이 같다고 하면
$6\times40=x\times y$　　$\therefore y=\dfrac{240}{x}$
이 식에 $y=15$를 대입하면
$15=\dfrac{240}{x}$　　$\therefore x=16$
따라서 15분 만에 청소를 끝내려면 16명의 학생이 필요하다.

13 ① A가 2바퀴 회전할 때, 회전한 톱니의 수는
$15 \times 2 = 30$(개)

② B가 y바퀴 회전할 때, 회전한 톱니의 수는
$x \times y = xy$(개)

③, ④ A와 B가 회전하는 동안 맞물린 톱니의 수는 같으므로
$30 = xy$ ∴ $y = \dfrac{30}{x}$ ⇨ 반비례

⑤ $y = \dfrac{30}{x}$에 $x = 10$을 대입하면
$y = \dfrac{30}{10} = 3$

즉, B는 1분에 3바퀴 회전한다.
따라서 옳지 않은 것은 ⑤이다.

P. 71~75 내신 **5%** 따라잡기

1 ③	**2** ①	**3** ⑤	**4** ③
5 $\dfrac{1}{4} \le a \le \dfrac{3}{2}$	**6** ③	**7** $\dfrac{1}{2}$	**8** ②
9 12	**10** ③, ④	**11** ③	**12** $(5, -6)$
13 ④	**14** ⑤	**15** 3	**16** 50	**17** 18
18 -5	**19** ②	**20** ③	**21** 3초 후 **22** ㄱ, ㄹ
23 ⑤	**24** ②	**25** 선희	**26** (1) $y = \dfrac{30}{x}$ (2) 6개
27 ㄱ, ㄹ	**28** $\dfrac{3}{2}$ mL	**29** 50 cm	**30** ④

1 ㉢, ㉣의 그래프는 제1사분면과 제3사분면을 지나므로
$a > 0$이고, ㉠, ㉡의 그래프는 제2사분면과 제4사분면을 지나므로 $a < 0$이다.
$a > 0$이면 a의 값이 클수록 y축에 가까워지고, $a < 0$이면 a의 값이 작을수록 y축에 가까워지므로 a의 값이 큰 순서대로 나열하면 ㉢, ㉣, ㉠, ㉡이다.

2 점 $A(-m+3, m-3)$이 정비례 관계 $y = ax$의 그래프 위의 점이므로
$m-3 = a(-m+3)$, $m-3 = -a(m-3)$
∴ $a = -1$
즉, 점 $B(13n, 8)$이 정비례 관계 $y = -x$의 그래프 위의 점이므로
$8 = -13n$ ∴ $n = -\dfrac{8}{13}$
∴ $a + n = -1 + \left(-\dfrac{8}{13}\right) = -\dfrac{21}{13}$

3 (i) $a > 0$일 때
정비례 관계 $y = ax$의 그래프가 오른쪽 그림과 같이 제1사분면과 제3사분면의 색칠한 부분에 있으려면 a의 값의 범위는 $0 < a < \dfrac{5}{3}$

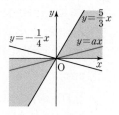

(ii) $a < 0$일 때
정비례 관계 $y = ax$의 그래프가 오른쪽 그림과 같이 제2사분면과 제4사분면의 색칠한 부분에 있으려면 a의 값의 범위는 $-\dfrac{1}{4} < a < 0$

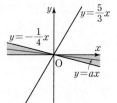

따라서 (i), (ii)에 의해 $-\dfrac{1}{4} < a < 0$ 또는 $0 < a < \dfrac{5}{3}$이므로 상수 a의 값이 될 수 없는 것은 ⑤이다.

4 $y = \dfrac{1}{2}x$에 $x = 4$를 대입하면
$y = \dfrac{1}{2} \times 4 = 2$ ∴ $B(4, 2)$
선분 BP의 길이는 4이므로
(선분 AP의 길이) : (선분 BP의 길이) $= 1 : 2$에서
(선분 AP의 길이) : $4 = 1 : 2$
$2 \times$ (선분 AP의 길이) $= 4 \times 1$
∴ (선분 AP의 길이) $= 2$
즉, $A(-2, 2)$이다.
따라서 정비례 관계 $y = ax$의 그래프가 점 $A(-2, 2)$를 지나므로
$2 = -2a$ ∴ $a = -1$

5 점 C는 점 $A(-4, 1)$과 x축에 대하여 대칭인 점이므로 $C(-4, -1)$이다.
즉, 다음 그림과 같이 정비례 관계 $y = ax$의 그래프가 선분 BC와 만나려면 $a > 0$이어야 한다.

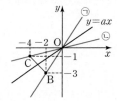

㉠과 같이 점 $B(-2, -3)$을 지날 때, a의 값이 가장 크므로
$-3 = -2a$ ∴ $a = \dfrac{3}{2}$
또 ㉡과 같이 점 $C(-4, -1)$을 지날 때, a의 값이 가장 작으므로
$-1 = -4a$ ∴ $a = \dfrac{1}{4}$
따라서 구하는 a의 값의 범위는 $\dfrac{1}{4} \le a \le \dfrac{3}{2}$이다.

6 점 A는 정비례 관계 $y=3x$의 그래프 위의 점이고 점 A의 y좌표가 12이므로
$12=3x$ ∴ $x=4$ ∴ A(4, 12)
점 C의 x좌표를 $a(a>0)$라 하면 점 C는 정비례 관계 $y=\frac{1}{3}x$의 그래프 위의 점이므로 C$\left(a, \frac{1}{3}a\right)$
점 D는 y좌표가 12이므로 D$(a, 12)$
이때 사각형 ABCD는 정사각형이므로
(선분 AD의 길이)=(선분 CD의 길이)
$a-4=12-\frac{1}{3}a, \frac{4}{3}a=16$ ∴ $a=12$
따라서 점 D의 좌표는 (12, 12)이다.

7 다음 그림과 같이 사다리꼴 OABC의 넓이를 이등분하는 정비례 관계 $y=ax$의 그래프와 선분 AB가 만나는 점을 D(6, 6a)라 하자.

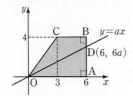

(사다리꼴 OABC의 넓이)$=\frac{1}{2}\times(3+6)\times4=18$에서
(삼각형 OAD의 넓이)$=\frac{1}{2}\times18=9$이므로
$\frac{1}{2}\times6\times6a=9$ ∴ $a=\frac{1}{2}$

8 점 P의 x좌표를 $p(p<0)$라 하면 P$(p, -4)$
(삼각형 OPQ의 넓이)
$=\frac{1}{2}\times$(선분 PQ의 길이)$\times$(선분 OQ의 길이)
$=\frac{1}{2}\times(-p)\times4=-2p$
$-2p=9$에서 $p=-\frac{9}{2}$
따라서 정비례 관계 $y=ax$의 그래프는 점 P$\left(-\frac{9}{2}, -4\right)$를 지나므로
$-4=-\frac{9}{2}a$ ∴ $a=\frac{8}{9}$

9 점 D는 x좌표가 9이고 정비례 관계 $y=\frac{1}{3}x$의 그래프 위의 점이므로 D(9, 3)
점 A는 y좌표가 3이고 정비례 관계 $y=x$의 그래프 위의 점이므로 A(3, 3)
또 점 B는 x좌표가 3이고 정비례 관계 $y=\frac{1}{3}x$의 그래프 위의 점이므로 B(3, 1)
∴ (직사각형 ABCD의 넓이)
  =(선분 BC의 길이)$\times$(선분 AB의 길이)
  $=6\times2=12$

10 점 (a, b)가 제3사분면 위의 점이므로 $a<0, b<0$
따라서
① $-a>0$ ② $\frac{b}{a}>0$ ③ $a+b<0$ ④ $b<0$ ⑤ $ab>0$
이므로
①, ②, ⑤의 그래프는 제1사분면과 제3사분면을 지나고,
③, ④의 그래프는 제2사분면과 제4사분면을 지난다.

11 정비례 관계 $y=ax$의 그래프가 $x<0$에서 제2사분면을 지나므로 $a<0$, 즉 $-a>0$
따라서 반비례 관계 $y=-\frac{a}{x}$의 그래프는 $x<0$에서 제3사분면을 지난다.

12 $y=\frac{a}{x}$에 $x=3$, $x=5$를 각각 대입하면 $y=\frac{a}{3}$, $y=\frac{a}{5}$
∴ P$\left(3, \frac{a}{3}\right)$, Q$\left(5, \frac{a}{5}\right)$
이때 점 Q의 y좌표가 점 P의 y좌표보다 크고, 두 점 P, Q의 y좌표의 차가 4이므로
$\frac{a}{5}-\frac{a}{3}=4, 3a-5a=60$
$-2a=60$ ∴ $a=-30$
따라서 $y=-\frac{30}{x}$에 $x=5$를 대입하면
$y=-\frac{30}{5}=-6$
따라서 점 Q의 좌표는 (5, -6)이다.

13 반비례 관계 $y=\frac{a}{x}$의 그래프가 점 (12, 3)을 지나므로
$3=\frac{a}{12}$ ∴ $a=36$
점 P의 x좌표를 $p(p<0)$라 하면 사각형 OAPB가 정사각형이므로 점 P의 y좌표도 p이다.
∴ P(p, p)
즉, 반비례 관계 $y=\frac{36}{x}$의 그래프는 점 P(p, p)를 지나므로
$p=\frac{36}{p}, p^2=36$
이때 $p^2=6\times6$ 또는 $p^2=-6\times(-6)$
그런데 $p<0$이므로 $p=-6$
따라서 점 P의 좌표는 (-6, -6)이다.

14 반비례 관계 $y=-\frac{8}{x}$의 그래프에서 $x<0$인 부분은 오른쪽 그림과 같고, x좌표와 y좌표가 모두 정수인 점의 개수는

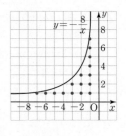

$x=-1$일 때, 7개
$x=-2$일 때, 3개
$x=-3$일 때, 2개
$x=-4, -5, -6, -7$일 때, 각 1개씩
∴ $7+3+2+1+1+1+1=16$(개)

$x>0$인 부분도 같은 방법으로 구하면 모두 16개이므로
구하는 점의 개수는 $2\times16=32$(개)

15 반비례 관계 $y=\dfrac{a}{x}$의 그래프가 점 Q$(-2, 3)$을 지나므로

$3=\dfrac{a}{-2}$ $\therefore a=-6$

점 P의 x좌표를 $p(p<0)$라 하면

P$\left(p, -\dfrac{6}{p}\right)$, A$(p, 0)$

따라서 직각삼각형 PAO의 넓이는

$\dfrac{1}{2}\times(-p)\times\left(-\dfrac{6}{p}\right)=3$

16 반비례 관계 $y=\dfrac{a}{x}$의 그래프가 점 P$\left(\dfrac{1}{2}, 10\right)$을 지나므로

$10=a\div\dfrac{1}{2}$, $10=2a$ $\therefore a=5$

즉, $y=\dfrac{5}{x}$이므로 $xy=5$

따라서 반비례 관계 $y=\dfrac{5}{x}$의 그래프 위의 점들의 x좌표와
y좌표의 곱은 5로 일정하므로 직사각형 1개의 넓이는 5이다.
즉, 직사각형 10개의 넓이의 합은
$5\times10=50$

17 점 P의 x좌표를 $p(p>0)$라 하면 P$\left(p, \dfrac{a}{p}\right)$

따라서 (선분 OA의 길이)$=p$, (선분 OB의 길이)$=\dfrac{a}{p}$이므로

(직사각형 OAPB의 넓이)

$=$(선분 OA의 길이)$\times$(선분 OB의 길이)

$=p\times\dfrac{a}{p}=18$

$\therefore a=18$

18 정비례 관계 $y=-\dfrac{4}{3}x$의 그래프가 점 A$(-3, a)$를 지나므로

$a=-\dfrac{4}{3}\times(-3)=4$

또 점 B$(b, -4)$를 지나므로

$-4=-\dfrac{4}{3}\times b$ $\therefore b=3$

반비례 관계 $y=\dfrac{k}{x}$의 그래프가 점 A$(-3, 4)$를 지나므로

$4=\dfrac{k}{-3}$ $\therefore k=-12$

$\therefore a+b+k=4+3+(-12)=-5$

19 점 B는 정비례 관계 $y=ax$의 그래프 위의 점이므로
B$(-2, -2a)$

점 D는 반비례 관계 $y=-\dfrac{6a}{x}$의 그래프 위의 점이므로

D$(2, -3a)$

직사각형 ABCD에서
선분 DC의 길이는 $-3a-(-2a)=-a$이고
(선분 BC의 길이) : (선분 DC의 길이)$=2 : 1$이므로
$4 : (-a)=2 : 1$, $-2a=4$ $\therefore a=-2$

20 반비례 관계 $y=\dfrac{16}{x}$의 그래프가 점 A$(4, a)$를 지나므로

$a=\dfrac{16}{4}=4$ $\therefore$ A$(4, 4)$

또 점 B$(b, 2)$를 지나므로

$2=\dfrac{16}{b}$에서 $b=8$ $\therefore$ B$(8, 2)$

다음 그림과 같이 정비례 관계 $y=mx$의 그래프가 선분 AB
와 만나려면 $m>0$이어야 한다.

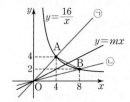

㉠과 같이 점 A$(4, 4)$를 지날 때, m의 값이 가장 크므로
$4=4m$ $\therefore m=1$
또 ㉡과 같이 점 B$(8, 2)$를 지날 때, m의 값이 가장 작으므로

$2=8m$ $\therefore m=\dfrac{1}{4}$

따라서 구하는 m의 값의 범위는

$\dfrac{1}{4}\leq m\leq1$

21 x초 후에 선분 BP의 길이는 $2x$ cm이므로 x와 y 사이의 관계식은

$y=\dfrac{1}{2}\times2x\times6$ $\therefore y=6x$

$y=6x$에 $y=18$을 대입하면

$18=6x$ $\therefore x=3$

따라서 삼각형 ABP의 넓이가 $18\,\text{cm}^2$가 되는 것은 점 P가
점 B를 출발한 지 3초 후이다.

22 시계의 분침은 60분 동안 $360°$를 회전하므로 1분 동안에는

$\dfrac{360°}{60}=6°$를 회전한다.

즉, x와 y 사이의 관계식은 $y=6x$이다.
ㄱ. y는 x에 정비례한다.
ㄴ. $y=6x$에 $y=36$을 대입하면
  $36=6x$ $\therefore x=6$
  따라서 $36°$를 회전하는 데 6분이 걸린다.
ㄷ. 정비례하므로 x의 값이 커지면 y의 값도 커진다.
ㄹ. 정비례 관계 $y=6x(0\leq x\leq60)$의 그래프는 제1사분면
  을 지난다.
따라서 옳지 않은 것은 ㄱ, ㄹ이다.

23 x분 동안 이동한 거리를 y m라 하자.

(ⅰ) ㉠의 그래프가 나타내는 x와 y 사이의 관계식을 $y=ax$ 라 하면 그래프가 점 $(3, 500)$을 지나므로

$500=3a$에서 $a=\dfrac{500}{3}$

$\therefore y=\dfrac{500}{3}x$

집에서 학교까지의 거리는 $2 \text{ km}=2000 \text{ m}$이므로

$y=2000$을 대입하면

$2000=\dfrac{500}{3}x$ $\therefore x=12$

즉, 자전거를 타고 학교까지 가는 데 걸리는 시간은 12분 이다.

(ⅱ) ㉡의 그래프가 나타내는 x와 y 사이의 관계식을 $y=bx$ 라 하면 그래프가 점 $(4, 200)$을 지나므로

$200=4b$에서 $b=50$

$\therefore y=50x$

집에서 학교까지의 거리는 $2 \text{ km}=2000 \text{ m}$이므로

$y=2000$을 대입하면

$2000=50x$ $\therefore x=40$

즉, 걸어서 학교까지 가는 데 걸리는 시간은 40분이다.

따라서 자전거를 타고 학교에 가면 걸어서 가는 것보다

$40-12=28$(분) 더 빨리 도착한다.

24 x분 동안 인쇄할 수 있는 쪽수를 y쪽이라 하자.

(ⅰ) A 프린터의 그래프가 나타내는 x와 y 사이의 관계식을 $y=ax$라 하면 그래프가 점 $(5, 185)$를 지나므로

$185=5a$에서 $a=37$

$\therefore y=37x$

즉, A 프린터로는 1분 동안 37쪽을 인쇄할 수 있다.

(ⅱ) B 프린터의 그래프가 나타내는 x와 y 사이의 관계식을 $y=bx$라 하면 그래프가 점 $(5, 225)$를 지나므로

$225=5b$에서 $b=45$

$\therefore y=45x$

즉, B 프린터로는 1분 동안 45쪽을 인쇄할 수 있다.

따라서 두 대를 동시에 사용하면 1분 동안 $37+45=82$(쪽) 을 인쇄할 수 있으므로 A, B 두 프린터를 동시에 사용하여 492쪽을 인쇄하는 데 걸리는 시간은

$492 \div 82=6$(분)

25 선희와 재원이가 이동한 시간을 x분, 이동한 거리를 y m라 하면

선희: $y=125x$, 재원: $y=150x$

1500 m를 가는 데 선희는 $1500=125x$ $\therefore x=12$

이므로 12분이 걸리고,

재원이는 $1500=150x$ $\therefore x=10$

이므로 10분이 걸린다.

따라서 선희가 3분 먼저 출발하였으므로 먼저 도착한 사람 은 선희이다.

26 (1) $xy=30$이므로 $y=\dfrac{30}{x}$

(2) $y=\dfrac{30}{x}$에 $x=5$를 대입하면 $y=\dfrac{30}{5}=6$

따라서 가로에 놓인 타일의 개수가 5개일 때, 세로에 놓인 타일의 개수는 6개이다.

27 ㄱ, ㄴ. 1분에 100 L씩 200분 동안 넣은 물의 양과 1분에 $x \text{ L}$씩 y분 동안 넣은 물의 양이 같으므로

$100 \times 200=x \times y$ $\therefore y=\dfrac{20000}{x}$

따라서 y는 x에 반비례한다.

ㄷ. $y=\dfrac{20000}{x}$에 $x=80$을 대입하면

$y=\dfrac{20000}{80}=250$

즉, 1분에 80 L씩 물을 넣을 때, 수영장에 물을 가득 채 우는 데 250분이 걸린다.

ㄹ. $y=\dfrac{20000}{x}$에 $y=400$을 대입하면

$400=\dfrac{20000}{x}$ $\therefore x=50$

즉, 400분 동안 물을 넣어서 수영장에 물을 가득 채우려 면 1분에 50 L씩 물을 넣어야 한다.

따라서 옳은 것은 ㄱ, ㄹ이다.

28 주어진 그래프에서 y가 x에 반비례하므로 $y=\dfrac{a}{x}$로 놓는다.

이 그래프가 점 $(2, 6)$을 지나므로

$6=\dfrac{a}{2}$에서 $a=12$ $\therefore y=\dfrac{12}{x}$

$y=\dfrac{12}{x}$에 $x=8$을 대입하면 $y=\dfrac{12}{8}=\dfrac{3}{2}$

따라서 8기압일 때, 이 기체의 부피는 $\dfrac{3}{2} \text{ mL}$이다.

29 받침대에서 물건이 놓여 있는 곳까지의 거리와 물건의 무게의 곱은 양쪽이 같으므로

$20 \times 50=y \times x$ $\therefore y=\dfrac{1000}{x}$

$y=\dfrac{1000}{x}$에 $x=20$을 대입하면 $y=\dfrac{1000}{20}=50$

따라서 초콜릿의 무게가 20 g일 때, 받침대에서 초콜릿까지의 거리는 50 cm이다.

30 톱니바퀴 A가 15초에 6바퀴 회전하므로 1분 동안 맞물린 톱 니의 수는

$25 \times 4 \times 6=600$(개)

톱니바퀴 B가 1분에 y바퀴 회전하는 동안 맞물린 톱니의 수는

$x \times y=xy$(개)

두 톱니바퀴 A와 B가 회전하는 동안 맞물린 톱니의 수는 같으므로

$$600=xy \quad \therefore y=\frac{600}{x}$$

$x=20$, $x=30$, $x=40$일 때의 y의 값의 합은

$$\frac{600}{20}+\frac{600}{30}+\frac{600}{40}=30+20+15=65$$

반비례 관계 $y=-\dfrac{3}{x}$의 그래프 위의 점 중에서 x좌표와 y 좌표가 모두 정수인 점은 $(1, -3)$, $(-1, 3)$, $(3, -1)$, $(-3, 1)$이고 네 점을 좌표평면 위에 나타내면 다음 그림과 같다.

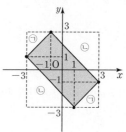

$\therefore$ (사각형의 넓이)

$$=6\times6-\underbrace{\left(\frac{1}{2}\times2\times2\right)}_{\bigcirc}\times2-\underbrace{\left(\frac{1}{2}\times4\times4\right)}_{\bigcirc}\times2$$

$$=36-4-16=16$$

P. 76~77 **내신 1% 뛰어넘기**

01 $\dfrac{1}{2}$　　**02** $\dfrac{8}{5}$　　**03** 16　　**04** 6

05 $y=\dfrac{2}{3}x$　　　　**06** 30 km

01 길잡이 점 A의 좌표를 (m, m)이라 하면 정사각형 ABCD의 한 변의 길이는 m임을 이용하여 점 D의 좌표를 구한다.

점 A의 x좌표를 $m(m>0)$이라 하면 점 A는 정비례 관계 $y=x$의 그래프 위의 점이므로

$A(m, m)$

이때 정사각형 ABCD의 한 변의 길이는 선분 AB의 길이와 같으므로 m이다.

즉, 점 D의 x좌표는 $m+m=2m$이므로

$D(2m, m)$

점 $D(2m, m)$은 정비례 관계 $y=ax$의 그래프 위의 점이므로

$$m=2am \quad \therefore a=\frac{1}{2}$$

02 길잡이 절댓값의 의미를 알고 삼각형 POQ의 넓이를 이용하여 선분 PQ의 길이를 구한다.

점 Q의 x좌표를 $p(p>0)$라 하면 두 점 P, Q의 y좌표가 4이므로 $P(-p, 4)$, $Q(p, 4)$

$$(삼각형 \ POQ의 \ 넓이)=\frac{1}{2}\times2p\times4$$

$$=4p=10$$

$$\therefore p=\frac{5}{2}$$

점 $Q\left(\dfrac{5}{2}, 4\right)$는 $y=a|x|$의 그래프 위의 점이므로

$$4=\frac{5}{2}a \quad \therefore a=\frac{8}{5}$$

03 길잡이 반비례 관계 $y=\dfrac{a}{x}$의 그래프 위의 점 중에서 x좌표와 y좌표가 모두 정수인 점을 찾아본다.

반비례 관계 $y=\dfrac{a}{x}$의 그래프가 점 $\left(\dfrac{1}{3}, -9\right)$를 지나므로

$$-9=a\div\frac{1}{3}, \ -9=3a$$

$$\therefore a=-3$$

04 길잡이 점 P는 정비례 관계 $y=ax$의 그래프와 반비례 관계 $y=\dfrac{8ab}{x}$의 그래프의 교점이고, 점 Q는 정비례 관계 $y=bx$의 그래프와 반비례 관계 $y=\dfrac{8ab}{x}$의 그래프의 교점임을 이용하여 a, b의 값을 구한다.

점 P의 x좌표가 2이고 점 P는 정비례 관계 $y=ax$의 그래프 위의 점이므로 $P(2, 2a)$

또 점 $P(2, 2a)$는 반비례 관계 $y=\dfrac{8ab}{x}$의 그래프 위의 점이므로

$$2a=\frac{8ab}{2}, \ 2a=4ab \quad \therefore b=\frac{1}{2}$$

점 Q의 y좌표가 2이고 점 Q는 정비례 관계 $y=\dfrac{1}{2}x$의 그래프 위의 점이므로

$$2=\frac{1}{2}x, \ x=4 \quad \therefore Q(4, 2)$$

또 점 $Q(4, 2)$는 반비례 관계 $y=\dfrac{4a}{x}$의 그래프 위의 점이므로

$$2=\frac{4a}{4} \quad \therefore a=2$$

따라서 좌표평면 위에 두 점 $P(2, 4)$, $Q(4, 2)$를 나타내면 오른쪽 그림과 같다.

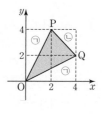

$\therefore$ (삼각형 POQ의 넓이)

$$=4\times4-\underbrace{\left(\frac{1}{2}\times4\times2\right)}_{\bigcirc}\times2$$

$$\quad -\underbrace{\frac{1}{2}\times2\times2}_{\bigcirc}$$

$$=16-8-2=6$$

05 길잡이 (A의 톱니 수)×(회전수)=(B의 톱니 수)×(회전수), (C의 톱니 수)×(회전수)=(D의 톱니 수)×(회전수)임을 이용한다.

톱니바퀴 A가 x바퀴 회전할 때, 톱니바퀴 B는 k바퀴 회전한다고 하면

$36 \times x = 48 \times k$ $\therefore k = \dfrac{3}{4}x$ ··· ㉠

톱니바퀴 B가 k바퀴 회전할 때, 톱니바퀴 C도 k바퀴 회전하므로

$16 \times k = 18 \times y$ $\therefore k = \dfrac{9}{8}y$ ··· ㉡

㉠, ㉡에서 $\dfrac{3}{4}x = \dfrac{9}{8}y$ $\therefore y = \dfrac{2}{3}x$

06 길잡이 방정식을 세워 기차의 길이를 구한 후 기차의 속력을 구한다.

기차의 길이를 a m라 하면 기차의 속력은 일정하므로

$$\dfrac{400+a}{2} = \dfrac{900+a}{3}$$

$1200 + 3a = 1800 + 2a$ $\therefore a = 600$

따라서 기차의 길이는 600 m이므로 기차의 속력은

$\dfrac{400+600}{2} = 500$, 즉 분속 500 m이다.

이 기차가 x분 동안 이동한 거리를 y m라 하면 이 기차는 1분 동안 500 m씩 이동하므로 x와 y 사이의 관계식은

$y = 500x$

한편 1시간은 60분이므로 $y = 500x$에 $x = 60$을 대입하면

$y = 500 \times 60 = 30000$

따라서 이 기차가 1시간 동안 이동한 거리는 30000 m, 즉 30 km이다.

P. 78~79 **5~6 서술형 완성하기**

[과정은 풀이 참조]

1 제4사분면
2 (1) A$(5, -2)$, B$(-5, 2)$, C$(-5, -2)$ (2) 20
3 (1) 140톤 (2) 4시간 **4** 2 **5** 6
6 (1) $y = \dfrac{36}{x}$ (2) 3 cm³ **7** $\dfrac{5}{2}$
8 (1) $\dfrac{12}{5}$ (2) $\left(\dfrac{5}{3}, 4\right)$

1 점 A$(a, -b)$가 제1사분면 위의 점이므로
$a > 0,\ -b > 0$에서 $a > 0,\ b < 0$ ··· (i)
점 B$(-c, d)$가 제2사분면 위의 점이므로
$-c < 0,\ d > 0$에서 $c > 0,\ d > 0$ ··· (ii)
따라서 $\dfrac{a+c}{2} > 0,\ \dfrac{b-d}{2} < 0$이므로 ··· (iii)
점 C$\left(\dfrac{a+c}{2}, \dfrac{b-d}{2}\right)$는 제4사분면 위의 점이다. ··· (iv)

채점 기준	비율
(i) a, b의 부호 결정하기	20 %
(ii) c, d의 부호 결정하기	20 %
(iii) $\dfrac{a+c}{2}$, $\dfrac{b-d}{2}$의 부호 결정하기	30 %
(iv) 점 C가 제몇 사분면 위의 점인지 구하기	30 %

2 (1) 점 P$(5, 2)$와 x축에 대하여 대칭인 점 A의 좌표는
A$(5, -2)$ ··· (i)
점 P$(5, 2)$와 y축에 대하여 대칭인 점 B의 좌표는
B$(-5, 2)$ ··· (ii)
점 P$(5, 2)$와 원점에 대하여 대칭인 점 C의 좌표는
C$(-5, -2)$ ··· (iii)

(2) 좌표평면 위에 세 점 A, B, C를 나타내면 오른쪽 그림과 같다.

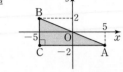

$\therefore$ (삼각형 ABC의 넓이)
$= \dfrac{1}{2} \times 10 \times 4$
$= 20$ ··· (iv)

채점 기준	비율
(i) 점 A의 좌표 구하기	20 %
(ii) 점 B의 좌표 구하기	20 %
(iii) 점 C의 좌표 구하기	20 %
(iv) 삼각형 ABC의 넓이 구하기	40 %

3 (1) 처음 저수지에 있는 물의 양은 200톤이고 물을 뺀 후에 저수지에 있는 물의 양은 60톤이므로 저수지에서 뺀 물의 양은 모두 $200 - 60 = 140$(톤)이다. ··· (i)

(2) 저수지의 수문을 연 시간은 물을 빼기 시작한 후부터 1시간 후까지, 2시간 후부터 4시간 후까지, 5시간 후부터 6시간 후까지 모두 4시간이다. ··· (ii)

채점 기준	비율
(i) 저수지에서 뺀 물의 양 구하기	50 %
(ii) 저수지의 수문을 연 시간 구하기	50 %

4 정비례 관계 $y = ax$의 그래프가 점 $\left(4, -\dfrac{1}{2}\right)$을 지나므로

$-\dfrac{1}{2} = 4a$ $\therefore a = -\dfrac{1}{8}$ ··· (i)

$\therefore y = -\dfrac{1}{8}x$ ··· (ii)

정비례 관계 $y = -\dfrac{1}{8}x$의 그래프가 점 $(b, 2)$를 지나므로

$2 = -\dfrac{1}{8}b$ $\therefore b = -16$ ··· (iii)

$\therefore ab = -\dfrac{1}{8} \times (-16) = 2$ ··· (iv)

채점 기준	비율
(i) a의 값 구하기	30 %
(ii) 정비례 관계식 구하기	20 %
(iii) b의 값 구하기	30 %
(iv) ab의 값 구하기	20 %

5 정비례 관계 $y = \dfrac{1}{2}x$의 그래프가 점 P$(-4, k)$를 지나므로

$k = \dfrac{1}{2} \times (-4) = -2$ ··· (i)

$$\therefore P(-4, -2)$$

반비례 관계 $y=\dfrac{a}{x}$의 그래프가 점 $P(-4, -2)$를 지나므로

$$-2=\dfrac{a}{-4} \qquad \therefore a=8 \qquad \cdots \text{(ii)}$$

$$\therefore a+k=8+(-2)=6 \qquad \cdots \text{(iii)}$$

채점 기준	비율
(i) k의 값 구하기	40 %
(ii) a의 값 구하기	40 %
(iii) $a+k$의 값 구하기	20 %

6 (1) y가 x에 반비례하므로 $y=\dfrac{a}{x}$로 놓는다.

어떤 기체의 부피가 $72\,\mathrm{cm}^3$일 때, 압력이 0.5기압이므로

$$72=\dfrac{a}{0.5} \qquad \therefore a=36$$

따라서 x와 y 사이의 관계식은

$$y=\dfrac{36}{x} \qquad \cdots \text{(i)}$$

(2) $y=\dfrac{36}{x}$에 $x=4$를 대입하면 $y=\dfrac{36}{4}=9$이므로

압력이 4기압일 때의 기체의 부피는 $9\,\mathrm{cm}^3$ $\qquad \cdots \text{(ii)}$

$y=\dfrac{36}{x}$에 $x=6$을 대입하면 $y=\dfrac{36}{6}=6$이므로

압력이 6기압일 때의 기체의 부피는 $6\,\mathrm{cm}^3$ $\qquad \cdots \text{(iii)}$

따라서 압력이 4기압일 때와 6기압일 때의 부피의 차는

$$9-6=3(\mathrm{cm}^3) \qquad \cdots \text{(iv)}$$

채점 기준	비율
(i) x와 y 사이의 관계식 구하기	40 %
(ii) 압력이 4기압일 때의 부피 구하기	20 %
(iii) 압력이 6기압일 때의 부피 구하기	20 %
(iv) 부피의 차 구하기	20 %

7 점 $A(a-2, 4a-1)$은 x축 위의 점이므로 y좌표가 0이다.

$4a-1=0$에서 $a=\dfrac{1}{4}$ $\qquad \cdots \text{(i)}$

점 $B(3-2b, b+1)$은 y축 위의 점이므로 x좌표가 0이다.

$3-2b=0$에서 $b=\dfrac{3}{2}$ $\qquad \cdots \text{(ii)}$

따라서 $A\left(-\dfrac{7}{4}, 0\right)$, $B\left(0, \dfrac{5}{2}\right)$, $C\left(2, \dfrac{5}{2}\right)$이므로 $\qquad \cdots \text{(iii)}$

좌표평면 위에 세 점 A, B, C를 나타내면 오른쪽 그림과 같다.

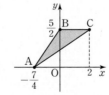

$\therefore$ (삼각형 ACB의 넓이)

$$=\dfrac{1}{2}\times 2\times\dfrac{5}{2}=\dfrac{5}{2} \qquad \cdots \text{(iv)}$$

채점 기준	비율
(i) a의 값 구하기	20 %
(ii) b의 값 구하기	20 %
(iii) 세 점 A, B, C의 좌표 구하기	30 %
(iv) 삼각형 ACB의 넓이 구하기	30 %

8 (1) 점 P의 x좌표를 $p(p>0)$라 하면 점 P는 정비례 관계 $y=ax$의 그래프 위의 점이므로

$$P(p, ap)$$

(삼각형 AOB의 넓이)$=\dfrac{1}{2}\times 5\times 6=15$

(삼각형 AOP의 넓이)$=\dfrac{1}{2}\times 6\times p=3p$

(삼각형 POB의 넓이)$=\dfrac{1}{2}\times 5\times ap=\dfrac{5}{2}ap$ $\qquad \cdots \text{(i)}$

이때 삼각형 AOP의 넓이는 삼각형 AOB의 넓이의 $\dfrac{1}{3}$이므로

$$3p=\dfrac{1}{3}\times 15, \ 3p=5$$

$$\therefore p=\dfrac{5}{3} \qquad \cdots \text{(ii)}$$

또 삼각형 POB의 넓이는 삼각형 AOB의 넓이의 $\dfrac{2}{3}$이므로

$$\dfrac{5}{2}a\times\dfrac{5}{3}=15\times\dfrac{2}{3}$$

$$\therefore a=\dfrac{12}{5} \qquad \cdots \text{(iii)}$$

(2) 점 P의 좌표는

$$\left(\dfrac{5}{3}, \dfrac{12}{5}\times\dfrac{5}{3}\right), \ \text{즉} \ \left(\dfrac{5}{3}, 4\right) \qquad \cdots \text{(iv)}$$

채점 기준	비율
(i) 삼각형 AOB, 삼각형 AOP, 삼각형 POB의 넓이 구하기	30 %
(ii) p의 값 구하기	30 %
(iii) a의 값 구하기	30 %
(iv) 점 P의 좌표 구하기	10 %

D-14
시험대비
알찬플랜

중간고사 기말고사 고민, **14일**이면 해결!

• 교과서 분석을 바탕으로 시험에 꼭 출제되는 **핵심 개념을 체계적으로 정리**

알찬
기출문제집

시험 잘 치는 중학생들의 **전 과목 고득점 비법**

• 교과서 분석을 바탕으로 시험에 꼭 출제되는 **핵심 개념을 체계적으로 정리**
• **최신 기출 문제 분석**을 통해 출제 경향을 반영한 적중률 높은 문제를 수록
• 출판사별 교재 제공, 내 교과서에 딱 맞는 시험 대비
• **전 과목 동영상 강의를 웹과 모바일로 제공**(수박씨닷컴 1등 동영상 강의)

발행일 2017년 11월 1일　　**펴낸날** 2018년 12월 1일
펴낸곳 (주)비상교육　　**펴낸이** 양태회　　**등록번호** 제 14-1654호
출판사업총괄 최대찬　　**개발총괄** 김희정　　**개발책임** 채진희
디자인책임 김재훈　　**영업책임** 이지웅　　**품질책임** 석진안
마케팅책임 김동남　　**대표전화** 1544-0554
주소 서울특별시 구로구 디지털로33길 48 대륭포스트타워 7차 20층